劉福春・李怡 主編

民國文學珍稀文獻集成

第二輯

新詩舊集影印叢編　第61冊

【朱湘卷】

草莽集

上海：開明書店 1927 年 8 月初版

朱湘　著

花木蘭文化事業有限公司

國家圖書館出版品預行編目資料

草莽集／朱湘　著—初版—新北市：花木蘭文化事業有限公司，
2017〔民106〕
206面；19×26公分
（民國文學珍稀文獻集成·第二輯·新詩舊集影印叢編　第61冊）
ISBN 978-986-485-151-5（套書精裝）
831.8　　106013764

ISBN-978-986-485-151-5

民國文學珍稀文獻集成·第二輯·新詩舊集影印叢編（51-85冊）
第61冊

草莽集

著　者　朱　湘
主　編　劉福春、李怡
企　劃　首都師範大學中國詩歌研究中心
北京師範大學民國歷史文化與文學研究中心
（臺灣）政治大學民國歷史文化與文學研究中心
總 編 輯　杜潔祥
副總編輯　楊嘉樂
編　輯　許郁翎、王筑　美術編輯　陳逸婷
出　版　花木蘭文化事業有限公司
社　長　高小娟
聯絡地址　235 新北市中和區中安街七二號十三樓
電話：02-2923-1455／傳眞：02-2923-1452
網　址　http://www.huamulan.tw　信箱　hml 810518@gmail.com
印　刷　普羅文化出版廣告事業
初　版　2017年9月
定　價　第二輯51-85冊（精裝）新台幣88,000元　

草莽集

朱湘 著

開明書店（上海）一九二七年八月初版。原書二十五開。

朱湘著

草莽集

新文叢書第一種

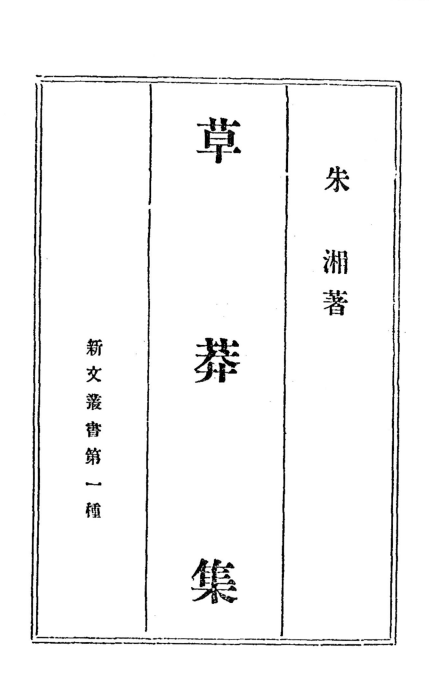

序詩

光明的一生

我與光明一同到人間，
光明去了時我也閉眼；
光明常照在我的身邊。

太陽升上時我已起牀，
我跟牠落進睡眠的浪；
太陽照我在生動中央。

圓月在夜裏窺於窗隙，
缺月映着墳上草迷離；

月光照我一生的休息。

十五，三，二九

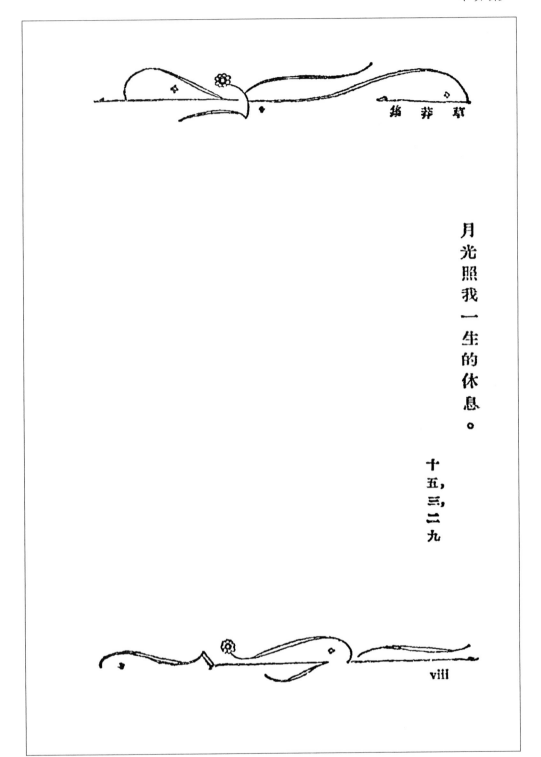

目錄

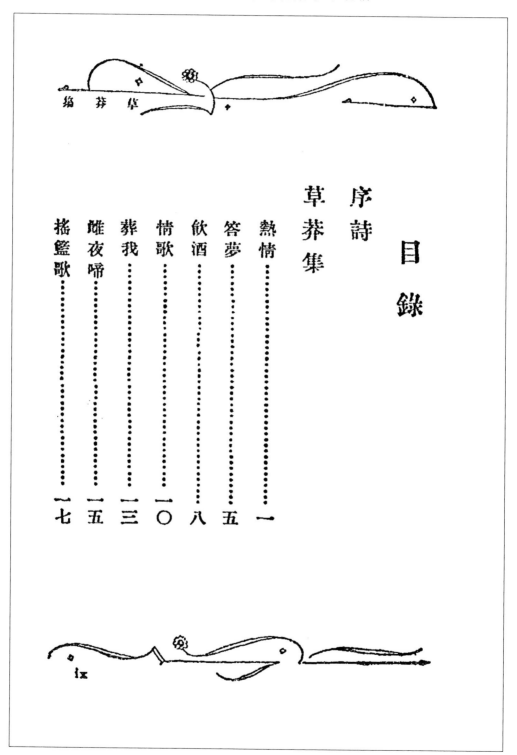

草莽集

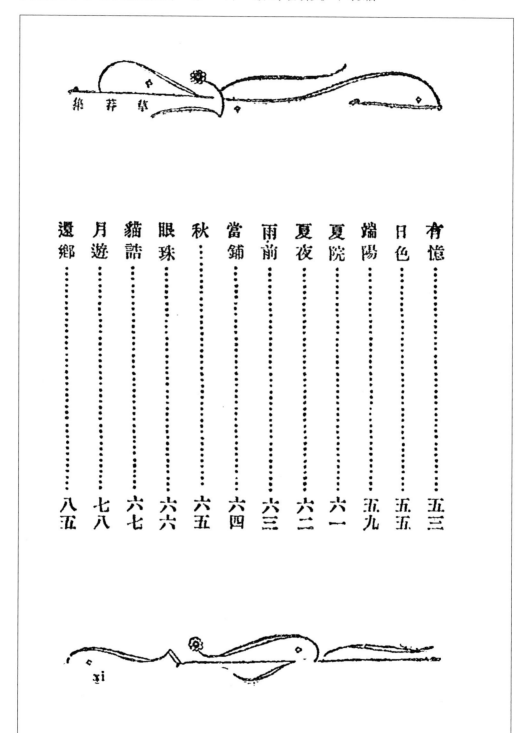

草莽集

xii

熱情

忽然捲起了熱情的風飆，
鞭撻着心海的波浪，鯨鯢；
如電的眼光直射進玄古；
更有雷霆作噪，吁入無垠。

我們問，爲什麼星宿萬千，
能夠亘古周行，不相妨礙？
吸力，是吸力把牠們牽住——
吸力中最強的豈非戀愛？

草莽篇

這無愛的地球罪已深重，
除去毀滅之外沒有良方。
我們把牠一脚踢碎之後，
展開雙翼在大氣內翺翔。

我們的熱情消溶去冰凍，
喚醒轉月宮的白兔，桂花，
我們綁起斲情根的吳剛，
一把扔去塡天狼的齒牙。

我們發出流星的白羽箭，
射死醜的蟾蜍，惡的天狗。

2

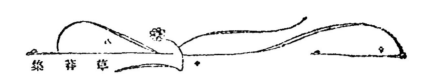

八

我們揮彗星的篠帚掃除，
拏南箕撮去一切的汚朽。

我們把九個太陽都掛起，
一個正中，八個照亮八方：
我們要世間不再有寒冷，
我們要一切的黑暗重光。

我們拏北斗酌天河的水，
來慶賀我們自己的成功。
在河水酌飲完了的時候，
牛郎同織女便永遠相逢。

歡樂在我們的內心爆裂，
把我們炸成了一片輕塵
看哪像燦爛的隕星灑下，
半空中瀰漫，有花雨繽紛！

十四，八，二四。

答夢

我爲什麼還不能放下？
因爲我現在漂流海中，
你的情好像一粒明星
垂願我於澄靜的天空，
　吸起我下沈的失望，
令我能勇敢的前向。

我爲什麼還不能放下？
是你自家留下了愛情，
他趁我不自知的夢裏

草莽集

頑童一樣搬演起戲文——
　我眞願長久在夢中，
　好同你長久的相逢！

我爲什麼還不能放下？
我們沒有撒手的辰光：
好像波圈越搖曳越大，
雖然堤岸能加以阻防，
　湖邊柳仍然起微顫，
　並且拂柔條吻水面。

情隨着時光增加熱度，

正如山的美隨遠增加；
棕櫚的綠陰更爲可愛
當流浪人度過了黃沙：
愛情呀，你替我回話，
我怎麼能把她放下？

十四，五，十九。

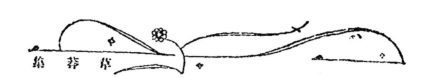

飲酒

是人生不容愛，
人生好比是暴君，
逆他的必死，
到了那時辰
我要想呀都不能。

情況既然如此，
又何必苦眼愁眉？
我有口能飲，
酒又愛般美

斟罷，快斟上一盃！

十四，八，二八。

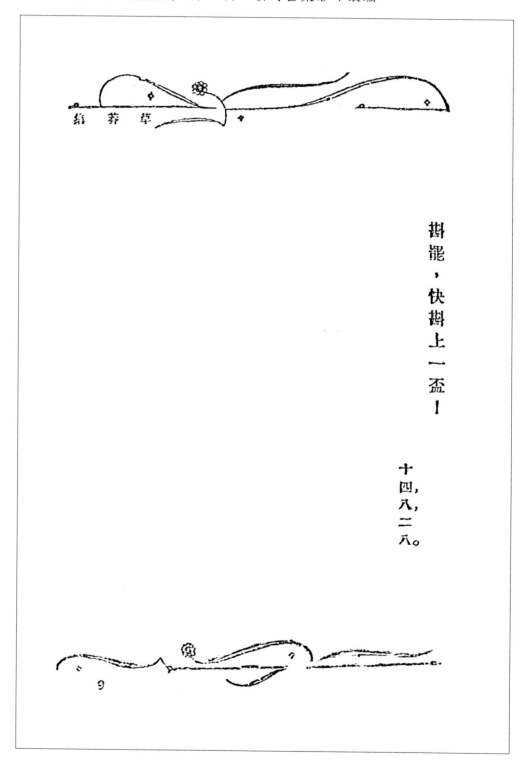

情歌

在發芽的春天，
我想繡一身衣送憐，
上面要挑紅豆，
還要挑比翼的雙鴛——
但是繡成功衣裳，
已經過去了春光。

在濃綠的夏天，
我想折一枝荷贈憐，
因爲我們的情

同藕絲一樣的纏綿——
　誰知道蓮子的心
　嘗到了這般苦辛？
　　在結實的秋天，
我想拏下月來給儕，
　代替她的圓鏡
映照她如月的容顏——
　可惜月又有時虧，
　不能常傍着繡幃。
　如今到了冬天，

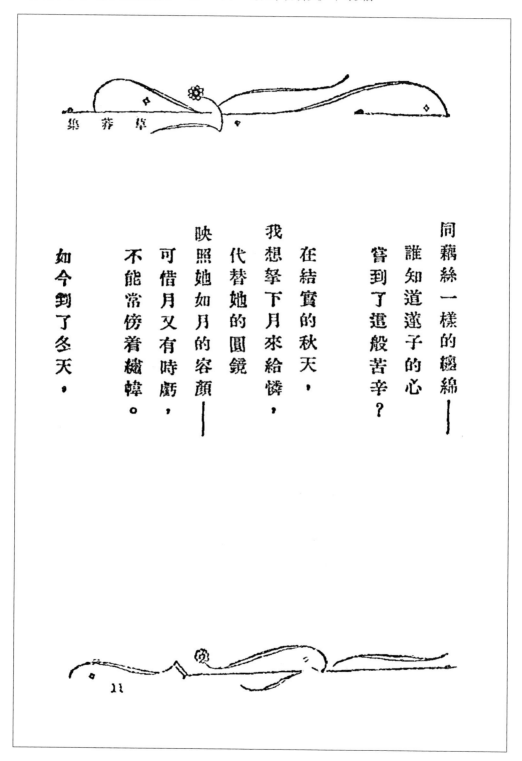

我一物還不曾獻憐，
只餘老了的心，
像殘燼明暗在灰闇，
被一陣冰冷的風
撲滅得無影無踪！

十四，九，二六。

葬我

葬我在荷花池內，
耳邊有水蚓拖聲，
在綠荷葉的燈上
螢火蟲時暗時明——

葬我在馬纓花下，
永作着芬芳的夢——
葬我在泰山之巔，
風聲嗚咽過孤松——

不然，就燒我成灰，
投入汜濫的春江，
與落花一同漂去
無人知道的地方。

十四，二，二。

雌夜啼

　月呀，你莫明，
莫明於半虛的巢上；
　我情願黑夜
來把我的孤獨遮藏。

　風呀，你莫吹，
莫吹起如歎的葉聲；
　我怕因了冷
迴憶到昔日的温存。

露水滴進巢，
我的身上一陣寒慄。
獵人呀，再來：
我的生趣已經終畢！

十四，五，三十。

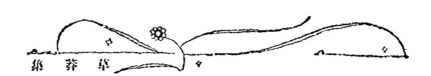

搖籃歌

春天的花香眞正醉人，
一陣陣溫風拂上人身，
你瞧日光牠移的多慢，
你聽蜜蜂在窗子外哼：
　睡呀，寶寶，
蜜蜂飛的眞輕。

天上瞧不見一顆星星，
地上瞧不見一盞紅燈；
什麼聲音也都聽不到，

只有蚯蚓在天井裏吟：
　睡呀，寶寶，
蚯蚓都停了聲。

一片片白雲天空上行，
像是些小船飄過湖心，
一刻兒起，一刻兒又沈
搖着船艙裏安臥的人：
　睡呀，寶寶，
你去跟那些雲。

不怕牠北風樹枝上鳴，

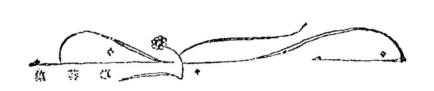

放下窗子來關起房門；
不怕牠結冰十分寒冷，
炭火生在那白銅的盆：
　睡呀，寶寶，
挨着炭火的溫。

十四，十二，四。

少年歌

我們是小羊，
跳躍過山坡同草場，
提起嗓子笑，
撒開腿來跑：
活潑是我們的主張。

我們是山泉，
白雲中流下了高岸；
誰作涇的濁？
流成渭的清，

草莽集

才不愧我們的眞面。
我們恨暮氣，
恨一切衰朽的東西。
我們要永遠
熱烈同勇敢，
値到死封閉起眼皮。
我們是新人，
我們要翻一闋新聲。
來呀，攙起手，
少年歌在口，

同行入燦爛的前程！

十四，九，十一。

婚歌

一篇未完的詩

讓喜幛懸滿一堂，
映照燭的光；
讓紅氈鋪滿地上；
讓鑼鼓鏗鏘、
低吹簫，
慢拍鐃，
讓樂聲響徹通宵。
洞房中要用香薰，

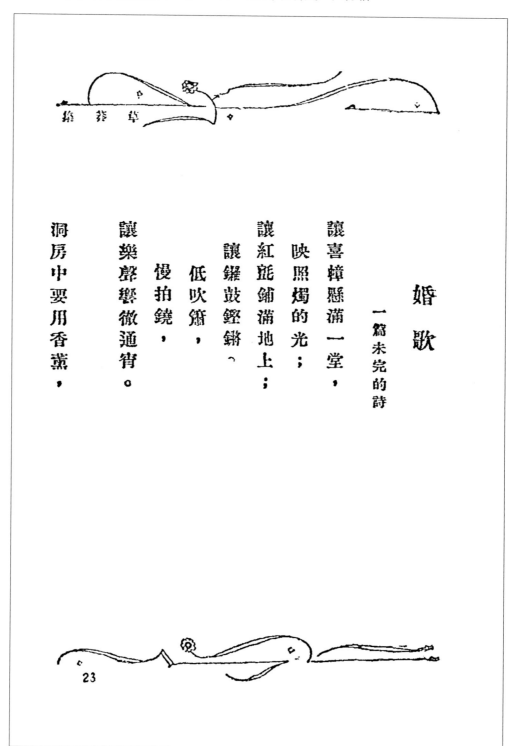

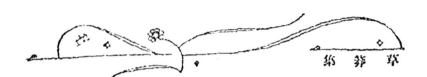

草莽集

要牡丹插瓶，
要圓月般的金鏡
照一對新人，
帳沿中
要有蜂
輕落進繡球花叢。

十五，一，九。

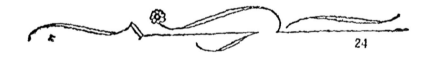

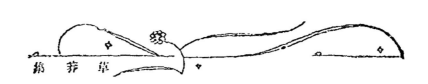

催妝曲

醒呀，從睡鄉醒回，
晨雞聲嚦嚦在相催。
看呀，鴿子起來了，
她們在碧落裏翻飛。

霞織的五采衣裳
懸掛在彎彎月鉤上；
日神也捧着金鏡，
等候你起來梳早妝。

畫眉在杏枝上歌：
畫眉人不起是因何？
遠峰尖滴着新黛，
正好蘸來描畫雙蛾。

楊柳的絲髮飄颺，
她對着如鏡的池塘；
百花是薰沐已畢，
她們身上噴出芬芳。

起呀！趁草際珠垂，
春鶯兒銜了額黃歸，

趕快拏妝梳理好。
起呀！雞聲都在相催！

十四，九，二八。

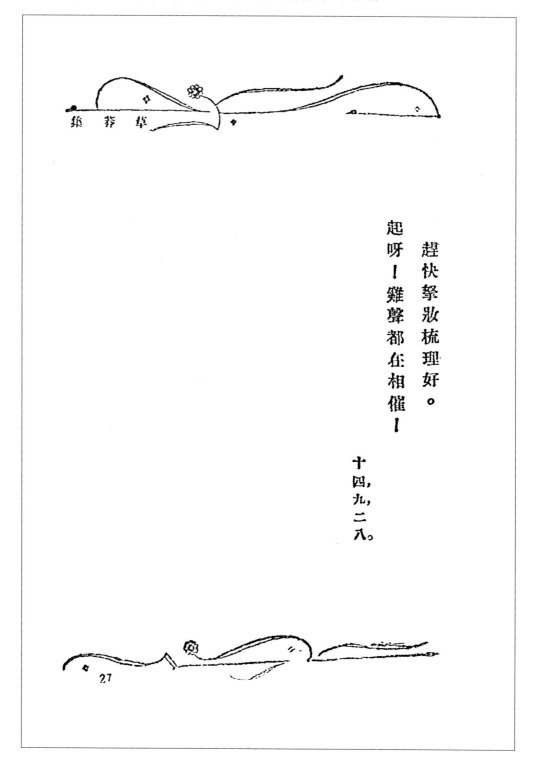

草莽集

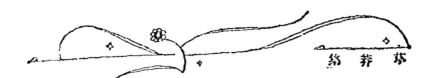

采蓮曲

小船呀輕飄，
楊柳呀風裏顛搖；
荷葉呀翠蓋，
荷花呀人樣嬌嬈。
日落，
微波，
金絲閃動過小河。
左行，
右撐，
蓮舟上揚起歌聲。

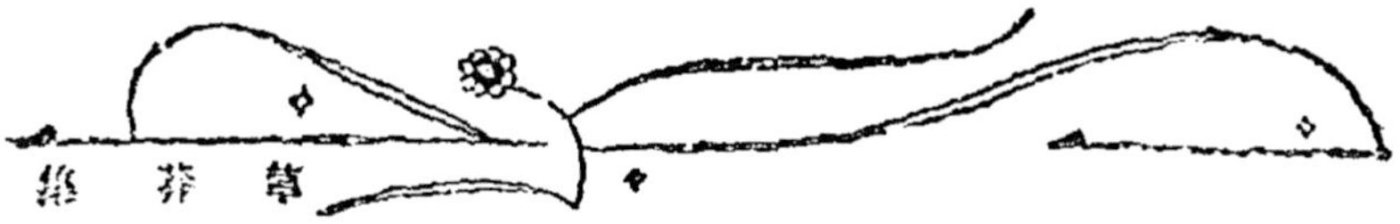

菡萏呀半開，
蜂蝶呀不許輕來，
綠水呀相伴，
清淨呀不染塵埃。
溪間
采蓮，
水珠滑走過荷錢。
拍緊，
拍輕，
槳聲應答着歌聲。

草莽集

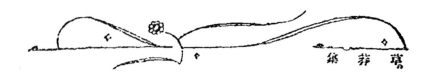

藕心呀絲長，
羞澀呀水底深藏：
不見呀蠶繭
絲多呀蛹裏中央？
溪頭
采藕，
女郎要采又夷猶。
波沈，
波升，
波上抑揚着歌聲。

蓮蓬呀子多：
兩岸呀榴樹婆娑，
喜鵲呀諠譟，
榴花呀落上新羅。
溪中
采蓮，
耳鬢邊暈着微紅。
風定，
風生，
風颸蕩漾着歌聲。

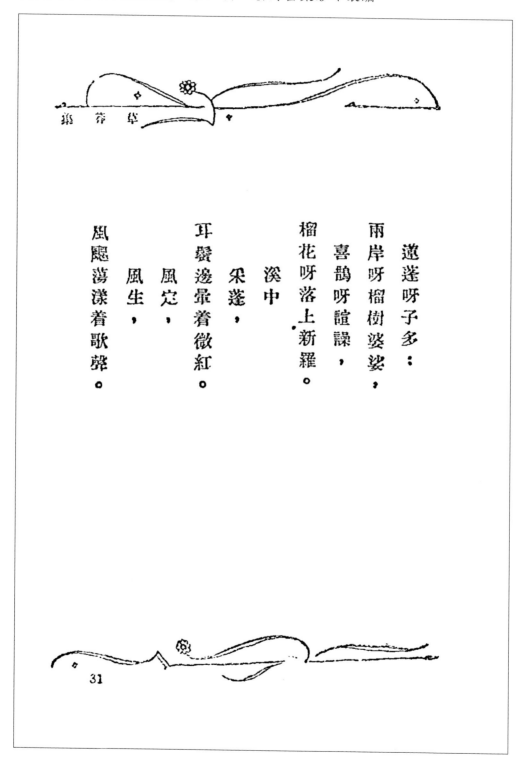

草莽集

升了呀月鈎，
明了呀織女牽牛；
薄霧呀拂水，
涼風呀飄去蓮舟。
花芳
衣香
消溶入一片蒼茫；
時靜，
時聞，
虛空裏裊着歌音。

十四，十，二四，

昭君出塞

琵琶呀伴我的琵琶：
趁着如今人馬不喧譁，
　只聽得蹄聲答答，
我想憑着切膚的指甲
彈出心裏的嗟呀。

琵琶呀伴我的琵琶：
這兒沒有青草發新芽，
　也沒有花枝低亞；
在敕勒川前，燕支山下，

只有冰樹結瓊花。

琵琶呀伴我的琵琶：
我不敢瞧落日照平沙；
雁飛過暮雲之下，
不能爲我傳達一句話
到烟霞外的人家。

琵琶呀伴我的琵琶：
記得當初被選入京華，
常對着南天悲咤；
那知道如今去朝遠嫁，

望昭陽又是天涯。
琵琶呀伴我的琵琶：
你瞧太陽落下了平沙，
夜風，在荒野上發，
與一片馬嘶聲相應答，
遠方響動了胡笳。

十五，三，二七。

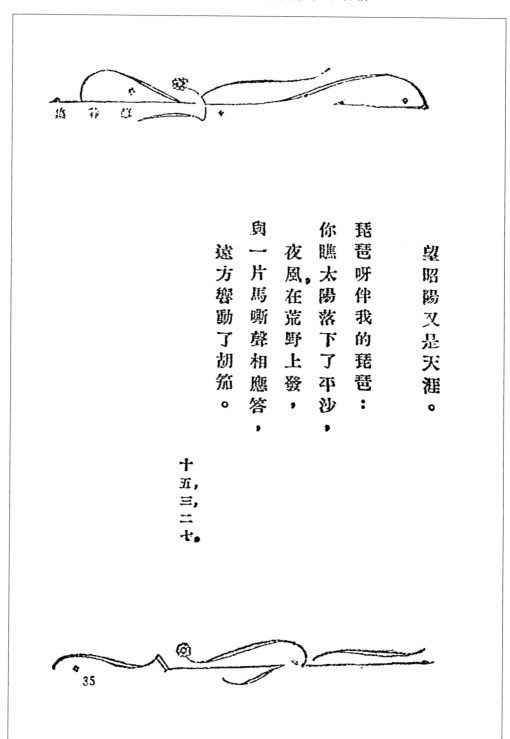

曉朝曲

宮門前面兩行火把的紅，
衝破了黑暗，映照着宮牆，
金黃的火星騰過華表上，
牆頭瞧得見翠柏與蒼松。
來朝似的羣鴉旋舞天空，
夜雲倉皇的向遠處逝藏；
蟻聚的千官一聲不聽響，
靜候在宮牆十里的當中。

朱紅的大柱上盤着金龍，
　寶座的旁邊繚繞着爐香，
　兩個宮女已將雉扇高掌，
丹陛前排立着卿相，王公。

看哪！一輪紅日已經升東，
　杏黃的旗旆在殿脊飄颺；
　在一萬里的靑天下蕩漾，
聽哪！景陽樓撞動了洪鐘！

十五，一，七。

哭孫中山

猩紅的血輝映着烈火濃烟；
一輪白日遮在烟霧的後邊；
殺氣愁雲瀰漫了太空之內，
五嶽三河上已經不見青天。

革命之旗倒在帝座的前方，
帝座上高踞着獰笑的魔王；
志士的頭顱替他壘成脚墊，
四海哀呼，同聲把聖德頌揚！

國體上的革命未能作到底，
便轉過來革命自家的身體；
那知病魔的毒與惡魔相同，
我國的棟梁遂此一崩不起。

誰說他沒有遺產傳給後人？
他有未竟之業讓大家繼承。
他留下玻璃棺樣明的人格；
他留下肝癌核樣硬的精神。

讓偉大的鍾山給他作丘隴；
讓深宏的江水給他鳴喪鐘。

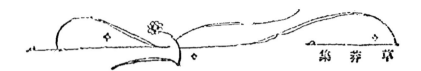

讓他爲國事疲勞了的筋骨
永息於四十里闊的佳城中。

哭罷：因爲我們的國醫已亡。
此後有誰來給我們治創傷？
病夫！你瞧國醫都死於贅疣，
何況你的身邊有百孔千瘡？

哭罷！讓我們未亡者的哭聲
應答着郊野中戰鬼的哀音。
哭罷！因爲鎮鬼的鍾馗已喪，
在崑崙山下魍魎更要橫行。

但停住哭！停住五族的歔欷！
聽哪：黃花崗上揚起了悲啼！
讓死者的英靈去歌悼死者，
生人的音樂該是戰鼓征鼙！

停住哭！停住四百兆的悲傷！
看哪：倒下的旗已經又高張！
看哪：救主耶穌走出了墳墓，
華夏之魂已到復活的辰光！

十四，四，一。

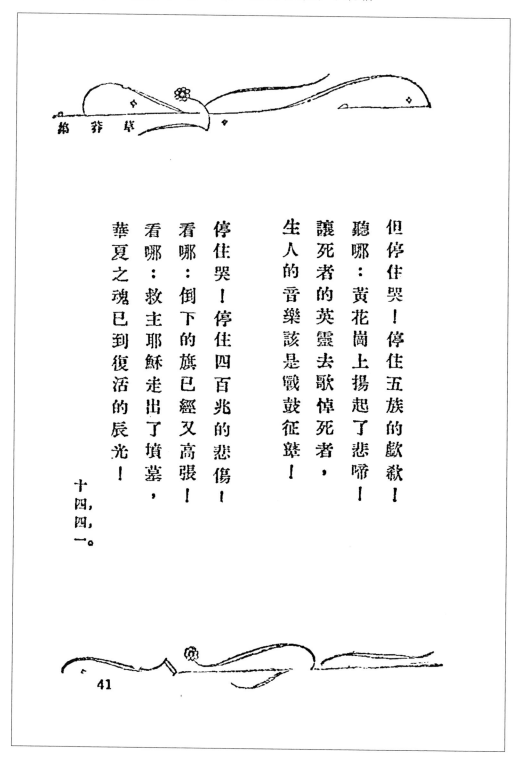

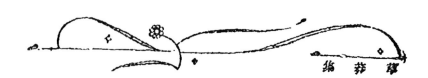

草莽編

殘灰

炭火發出微紅的光芒，
一個老人獨坐在盆旁，
這堆將要熄滅的灰燼
在他的胸裏引起悲傷——
　火灰一刻暗，
　火灰一刻亮，
火灰暗亮着紅光。

童年之內，是在這盆旁，
靠在媽媽的懷抱中央，

栗子在盆上嗶吧的響，
一個，一個，她剝給兒嘗——
　媽那裏去了？
　熱淚滿眼眶，
　盆中顫搖着紅光。

到青年時，也是這盆旁，
一雙人影並映上高牆，
火光的紅暈與今一樣，
照見他同心愛的女郎——
　竟此分手了，
　她在天那方？

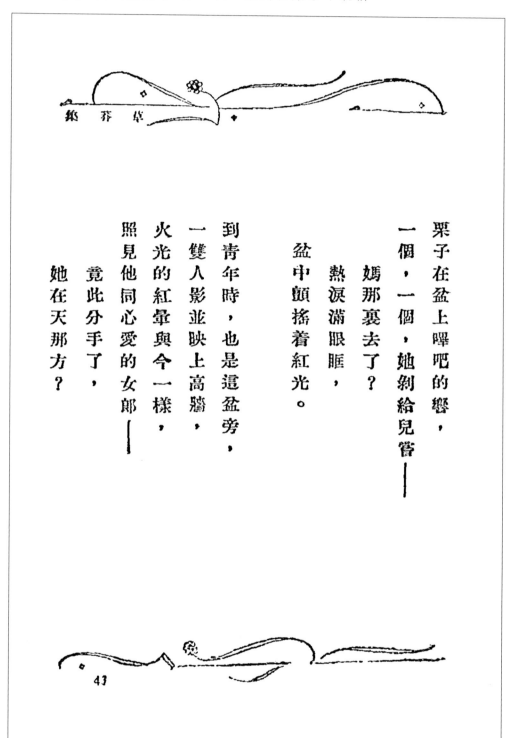

如今也對着火光？

到中年時，也是這盆旁，
白天裏面辛苦了一場，
眼巴巴的望到了晚上，
才能暖着火喳口黃湯——
　妻子不在了，
　兒女自家忙，
淚流瞧不見火光。

如今老了，還是這盆旁，
一個人伴影住在空房，

他趁着殘灰沒有全暗，
挑起炭火來想慰淒涼——
火終歸熄了。
屋外一聲梆，
這是起更的辰光。

十四，十一，十四。

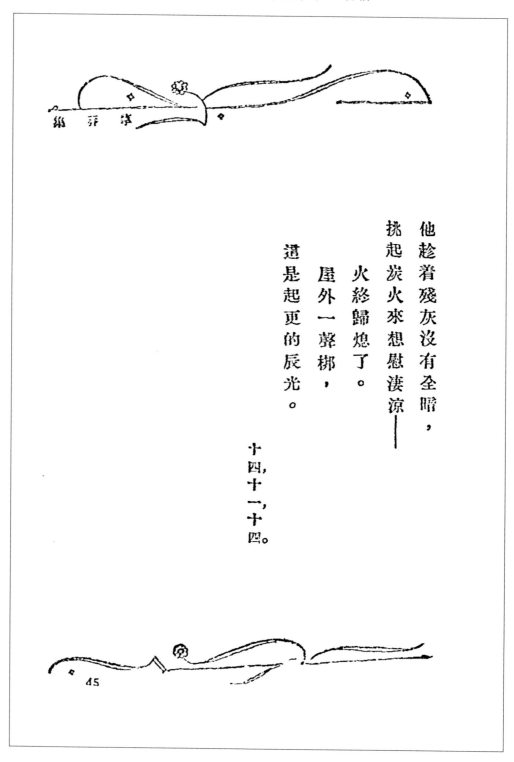

春風

春風呀春風，
這是你應當作的；
母親樣
摩撫着兒童；

春風呀春風，
這是你喜歡作的；
輕吻着
女郎的笑容；

春風呀春風，
這是你不該作的：
　催出淚
到老人眼中。

十五，三，三十。

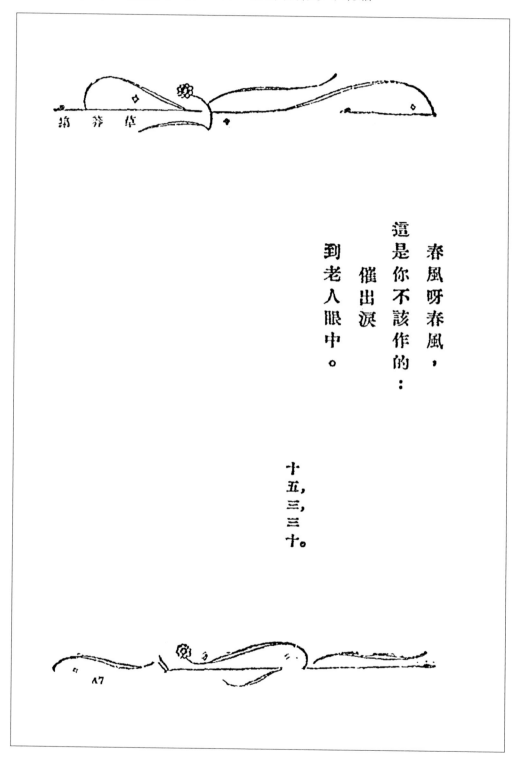

彈三絃的瞎子

城市寂寥的初夜，
他的三絃響過街中。
是一種低抑的音調，
疲倦的申訴着微衷。

路燈黃色的光下，
有幻異的長影前橫；
說不定他未覺到罷，
也說不定眼前一明。

寒氣無聲的撲來，
圍起他單薄的衣裳，
他趁着心血尚微溫，
彈出了顫鳴的聲浪。

三絃抖動而鳴唈，
哀鳴出游子的心胸。
無人見的暗裏飄來，
無人見的飄入暗中。

十四，五，三。

有一座墳墓

有一座墳墓，
墳墓前野草叢生，
有一座墳墓，
風過草像蛇爬行。

有一點螢火，
黑暗從四面包圍，
有一點螢火，
映着如豆的光輝。

有一隻怪鳥，
藏在巨靈的樹陰，
有一隻怪鳥，
作非人間的哭聲。

有一鉤黃月，
在黑雲之後偷窺，
有一鉤黃月，
忽然落下了山隈。

十四，八，十七。

慕菲絲

雨景

我心愛的雨景也多着呀：
春夜夢回時窗前的淅瀝；
急雨點打上蕉葉的聲音；
霧一般拂着人臉的雨絲；
從電光中潑下來的雷雨——
但將雨時的天我最愛了。
牠雖然是灰色的却透明；
牠蘊着一種無聲的期待。
並且從雲氣中，不知那裏，
飄來了一聲清脆的鳥啼。

十三，十一，二二。

有憶

淡黃色的斜暉
轉眼中不留餘跡。
一切的擾攘皆停，
一切的喧囂皆息。

入了夢的烏鴉
風來時偶發喉音；
和平的無聲晚汐，
已經淹沒了全城。

路燈亮着微紅，
蒼鷹飛下了城堞，
在暮烟的白被中
紫色的鍾山安歇。

寂寥的街巷內，
王侯大第的牆陰，
蹡的一聲竹筒響，
是賣元宵的老人。

十四，五，十五。

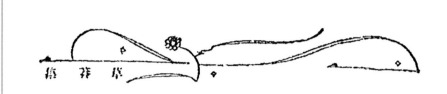

日色

燦爛呀
金黃的夕陽：
雲天上幻出扇形，
彷彿羲和的車輪
慢慢的
沈沒下西方。
秀雋呀
嫩綠的晚空：
這時候雨陣剛過，

草莽第

桃林內殘滴徐墮，
　有暮蟬
嘶噪着清風。

　富麗呀
猩紅的朝暾：
絳霞鋪滿了青天，
曉風吹過樹枝間，
　露珠兒
搖顫着光明。

　奇幻呀

善變的夕霞：
牠好像肥皂水泡
什麼顏色都變到，
　又像秋
染遍了枝枒。

　蒼涼呀
大漠的落日；
筆直的烟連着雲，
人死了戰馬悲鳴，
　北風起，
驅走着砂石。

陰森呀

被蝕的日頭：

一圈白咬着太陽，

天同地漆黑無光，

只聽到

鼓翼的鴟鴞。

十四，十二，二三。

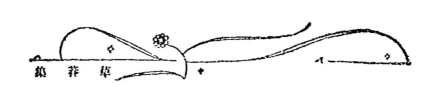

端陽

滿城飄着艾葉的濃香；
兩把菖蒲懸掛在門旁，
牠們的犀利有如寶劍，
爲要鎮防五毒的猖狂。

這天酒裏面都放雄黃，
家家無老少都舉酒嘗；
兒童的額上畫着王字；
嗑不完的酒灑滿一房。

孩子們穿着老虎衣裳，
糉子呀糉子，儘是呼娘，
娘，你帶我瞧划龍船去，
好容易今天到了端陽！

十四，十二，十二。

夏院

上面是天，
酪色的閒雲滑行；
下面有蜂，
射過尋蜜的呼聲。

十四，六，二。

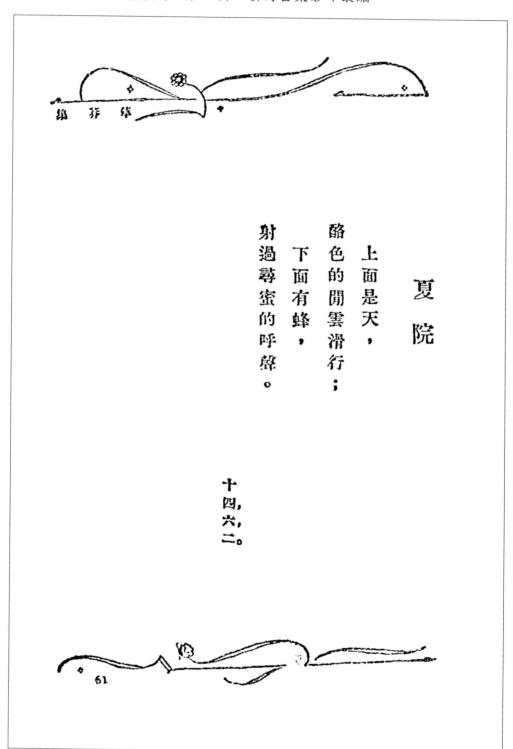

夏夜

時起涼風，
野草香飄來鼻中；
白光電幕
抽於灰色的天空。

十四，六，三。

雨前

等得不耐煩了，
蕉葉微微擺動；
　幾隻蜻蜓
低飛過庭院中。

十四，六，四。

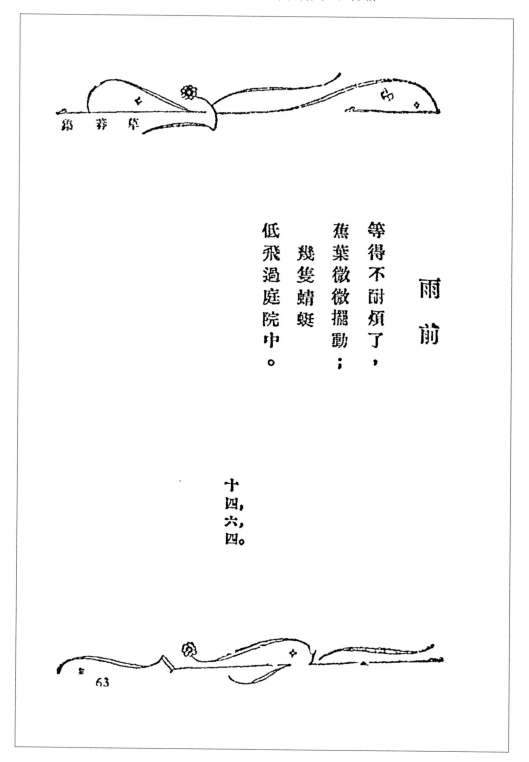

當鋪

美開了一家當鋪，
專收的人心；
到期人拏票去贖，
牠已經關門！

十四，十，十五。

秋

寗可死個楓葉的紅，
燦爛的狂舞天空，
去追向南飛的鴻雁，
駕着萬里的長風！

十四，十一，十。

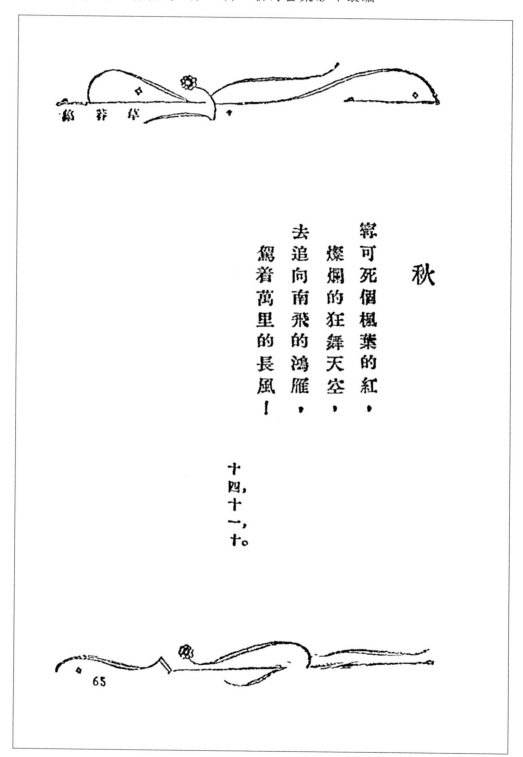

眼珠

蝶翼上何以有雙瞳？
雀尾上何以生眼睛？
誰知道？
誰知道
她的眼珠呀
何以像明月在潭心？

十四，十一，十一。

貓誥

有一隻老貓十分的信神

連夢裏他都咕嚷着唸經。

想必是夜中捉老鼠太累，

如今正午了都還在酣睡。

幸虧他的公子過來呼喚，

怕父親錯過了魚拌的飯。

他爬起來把身子搖幾搖，

聳起後背伸了一個懶腰；

他的生性是極其愛清潔，

牠拏一雙手掌洗臉不歇。

草莽集

現在離用膳還有半小時。
他想，教完子再去也不遲。
他吩咐小貓侍坐在堂下，
便正顏厲色的開始說話：
　仁兒，你已到了及冠之年，
有光明的未來在你面前，
父總是希望子光大家門，
何況我貓家本來有名聲？
我自慚一生與素餐為伍，
我如今只望你克繩祖武，
令我貓氏這大家不中落，
那我在泉下聽了也快活。

第一我要談貓氏的支分，
這些話你聽了務必書紳：
我姓之起遠在五千年上，
那時候三苗對堯舜反抗，
三苗便是我貓家的始祖，
他是大丈夫，不屈於威武。
但拏西方的科學來證明，
那貓姓的玄古更令人驚：
地質家說是我貓姓之起
離現在已經有五萬世紀；
並且威名震四方的山王
都是我貓家的一個同房。

還有一別支是貓頭鷹公，
他同我家祖上是把弟兄。
他們所以會結成了金蘭，
是因眼睛同樣的大而圓。
他在中州時鬱鬱不得意，
被一班迷信的人所遠避，
氣得追踪征西的班定遠，
跑去了西域之西的雅典，
在那地方他的運氣眞好，
被主城的女神封作智鳥。
常言道東西的民族同源，
瞧我姓的沿革知非虛言。

我姓因為從三苗公起頭
便同中國的帝王結了讎，
所以一直皆是卷而藏之，
將不求聞達的宗旨堅持。
　貓家人才算得天之驕子，
那班白種人何足以語此：
因為他們把時計製造成，
不過是近百年來的事情，
但我們在這五百萬年中
一直是用着計時的雙瞳。
至於我貓家人蓄的短髭——
（說時候他摸嘴邊的幾絲；

仁兒也揑着新留的數根，
以表示自家是少年老成」
更算得一切醫藥的濫觴，
神農學了乖去便成帝王。
吁，小子！爾其愼誌父之言，
庶先王之丕烈藉茲流傳——
　說到了此處時忽閉聲響，
他停住了口不再朝下講；
他的兩眼中放射出光明，
屏着呼吸，不吐一絲聲音。
有如，電光忽然照亮天空，
接着黑雲又把天宇密封，

震撼全球的雷一聲爆炸，
把摩雲的古木立時打下：
同樣，老貓跳去了箱子邊，
一條老鼠已銜在牙縫間。

等到整條老鼠已經吞盡，
他又向着仁兒開始教訓：
我貓家人個個諳習韜略，
只瞧我剛才的出如兔脫。
須知強權是近代的精神，
談揖讓便不能適者生存。
孔子雖曾三月不知肉味，
佛雖言殺生於人道有悖，

但是西方的科學在最近
證明了肉質富有維他命。
並且受人之祿者忠其主，
家主養我們本來爲擒鼠；
因爲鼠雖然怕我們捉拏，
講衛生的人類卻極怕他。
我們於人類這般有功勞，
不料廣東人居然會喫貓！
（註：不料精於味的廣東人
居然賞識秀才變的酸丁。）
唉！負心的人今不少似古，
豈只是殺韓信的漢高祖？

所以我家主人如去廣東，
那時候你切記着要罷工。
　話才說到這裏，忽聞呼喚，
原來是廚娘請去用午膳。
老貓停止了訓誨，站起身，
小貓也垂着頭在後緊跟。
　行不多時，已經到了廚房：
有火腿同醃魚懸掛走廊，
煤爐擺設着水缸與雞籠，
有些枯菜的鬚撒在院中；
公雞在聰天，小雞在奔跳，
母雞哼的歌兒拖着長調，

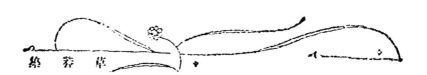

拏鵝有的伸頸，有的跛步，
一條狗來往的閒個不住；
鍋裏的青菜正在爭論忙；
院中瀰漫着燉肉的濃香。
　老貓眞不愧爲大腹將軍，
折衝樽俎時特別有精神。
不幸他們飯才喫了一半，
便有那條狗來到了身畔；
他毫不作禮的將貓擠走，
片時間魚飯都捲進了口。
老貓直氣得將兩眼圓睜，
他一壁向狗呼，一壁退身。

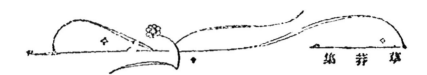

小貓也跟着退出戰陣外，
他恭聽老貓最後的誥誡：
有一句話終身受用不竭，
便是老子說的大勇若怯！

十四，六，五——八。

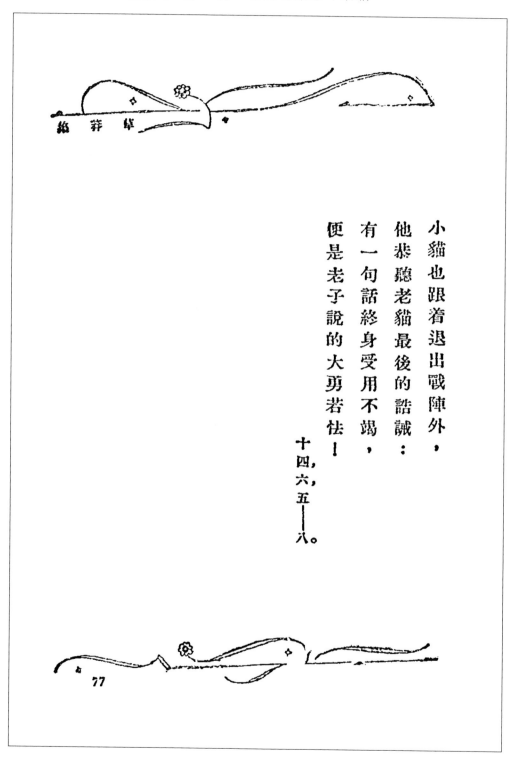

月游

我騎着流星，
度過虹橋與天河，
向月宮走近，
想瞧不老的嫦娥。

水晶的宮殿
關閉着兩扇紅門。
有一棵桂樹，
綠葉中漏下清芬。

園裏梅樹下
一隻兔子在擣霜；
白蓮香氣內
羣鵝飄過了池塘。
妙齡的宮女
還記得楊家玉環，
霓裳羽衣曲
悠揚在宮殿中間。
老僕叫吳剛，
白鬚直垂到胸口；

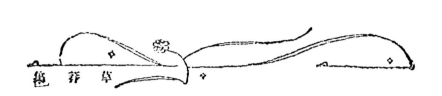

他管修樹枝，
一柄斧常拏在手。
他問知來意，
將我引進了深宮；
在白玉座前
我見了她的面容。
她不愁寒冷，
身披白狐的裘衣。
夏天餐百合，
冬天拏松子充飢。

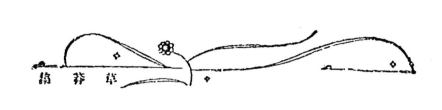

我呈上贄儀，
這些是海裏所藏：
大珠從龍頷，
小珠從鮫人眼眶；

我呈上贄儀，
這些是山中所拏：
銀花鹿的皮，
還有麝香與象牙；

我呈上贄儀、

這些是地上所搜：
　珍珠梅，碧桃，
木筆，梨花，與繡球。

我向她問道：
要是你不嫌囉唆，
　我情願曉得
你避太陽是爲何？

　太陽是金烏，
九隻裏惟牠獨存，
　牠背着后羿，

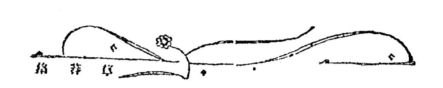

在我的後面緊跟。

我又向她問
月亮圓缺的理由。
圓的是妝鏡，
彎的是白玉簾鈎。

她贈我月季，
花比美人還嬌豔；
她贈我月餅，
霜作皮冰糖作餡。

草莽集

象牙雕的車，
車前是一對綿羊，
是她送我的，
讓我坐着回故鄉。

我行過雪山，
行過冰川與雲壑。
像一條白龍
瀑布從峯頭墜落。

我的車翻了！
滑進了瀑流中間！

我忽然驚醒，
月光恰落在牀前。

十四，十二，二二。

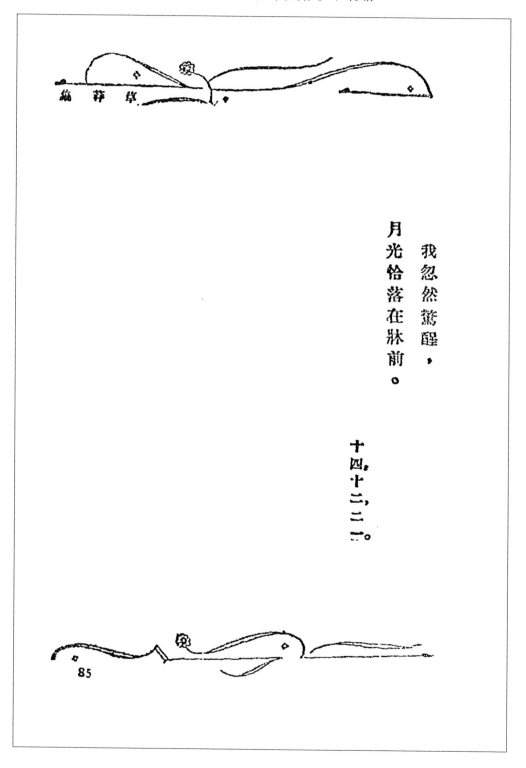

還鄉

一

暮秋的田野上照着斜陽，
長的人影移過道路中央；
乾枯了的葉子風中歎息，
飄落上還鄉人舊的軍裝。

哇的一隻烏鴉飛過人頭；
鴉雛正在那邊樹上啁啾，
他們說是巢溫，食糧也有，
爲何父親還在外面飄流？

金星與白烟向竈突上騰，
屋中響着一片菜的聲音，
飯的濃香噴出大門之外；
看着家的婦女正等歸人。

他的前頭走來一個牧童，
牽着水牛行過道路當中，
牧童瞧見他時，一半害怕
一半好奇似的睜大雙瞳。

他想起當初的年少兒郎，

彎弓跑馬，眞是意氣揚揚；
他們投軍，一同去到關外，
都化成了白骨死在邊疆。

一個莊家在他身側過去，
面龐之上呈着一團樂趣；
瞧見他的時候却縐起眉，
拏敵視的眼光向他緊覷。

這也難怪：二十年前的他
瞧見兵的時候不也咬牙？
好在明天裏面他就脫下，

脫下了軍服來重作莊家。

青色的遠峯間沈下太陽，
只有樹梢掛着一綫紅光；
暮烟氾濫平了谷中，田上；
蟲的聲音叫得游子心傷。

看哪，一棵白楊到了眼前，
一圈土牆圍在樹的下邊；
雖說大門還是朝着他閉，
歡欣已經漲滿他的心田。

他想母親正在對着孤燈，
眼望燈花心念遠行的人；
父親正在瞧着茶葉的梗，
說是今天會有貴客登門。

他記起過門才半月的妻，
記起別離時候她的悲啼；
說不定她如今正在奇怪
爲何今天儘是跳着眼皮。

想到這裏時候一片心慌，
悲喜同時泛進他的胸膛，

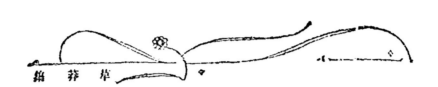

他已經瞧不見眼前的路，
二十年的淚呀落下眼眶！

二

大門外的天光眞正朦朧；
大門裏的人也眞正從容，
剝啄，剝啄，任你敲的多響，
你的聲音只算敲進虛空。

一條狗在門內跟着高叫，
門越敲得響時狗也越鬧；
等到人在外面不再敲門，

裏邊的狗也就停止喧譟。

誰呀？裏邊一絲弱的聲浪
響出堂屋，如今正在階上。
誰呀？外邊是否投宿的人？
還是那位高鄰屈駕光降？

娘呀，是我，並非投宿的人；
我們這樣貧窮那有高鄰？
「娘年老了，讓我高聲點說：」
我呀，我呀，我是娘的親生！

兒嗎？你出門了二十多年，
那裏還有活人存在世間？
哦，知道了，但娘窮苦的很，
那有力量給你多燒紙錢？

兒呀，自你當兵死在他鄉，
你的父親妻子跟着身亡；
兒呀，你們三個拋得我苦，
留我一人在這世上悲傷！

娘呀，我並不是已亡的人！
你該聽到剛才狗的呼聲，

我越敲門牠也叫得越響；
慢悠悠的才是叫着鬼魂。

兒呀，不料你是活着歸來，
可憐媳婦當時吞錯火柴！
兒呀，雖然等到你回鄉里，
我的眼睛已經不得睜開！

讓我拏起手來摸你一摸——
爲何你的臉上瘦了許多？
兒呀，你聽夜風吹過枯草，
還不走進門來歇下奔波？

柴門外的天氣已經昏沈，
天空裏面不見月亮與星，
只是在朦朧的光亮之內
瞧見草兒掩着兩個荒墳。

十五，四，十一。

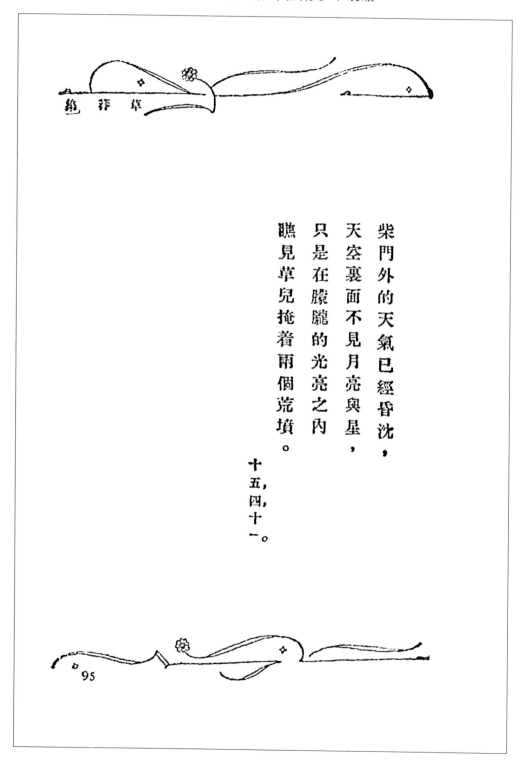

王嬌

一

上燈節已經來臨，
滿街上顫着燈的光明：
紅的燈掛在門口，
五綵的龍燈抬過街心。

星斗佈滿了天空，
閃着光，也像許多燈籠。
燈燭光中的楊柳

白得與銀絲的縫相同。
滿城中鑼鼓喧闐，
還有鞭爆聲夾在中間，
游人的笑語嘈雜：
驚起了棲禽，飛舞高天。
黑暗裏飄來花芳，
消溶進一片暖的衣香；
四下裏釵環閃亮；
嬌媚呈於喜悅的面龐。

聽呀，聽一聲歡呼——
空中忽噴上許多白珠！
這是那兒放焰火，
還是隕星飄灑進虛無？

是在周侯府前頭
紮起了一座五綵牌樓，
燈籠各樣的都有，
燭光要燃到天亮方休；

便是在這兒放花，
便是在這兒起的喧譁——

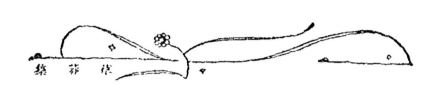

但是歡笑聲忽靜，
原來新的花又已高擎。

　　他們再也不想睡，
他們被節令之酒灌醉；
　　笑謔懸掛在唇邊，
他們的胸中歡樂騰沸。

　　但是燭漸漸燒殘，
人的喉嚨也漸漸叫乾；
　　在燈稀了的深巷
已有回家的取道其間。

草莽集

這是誰家的女郎？
她的脚步爲何這樣忙？
原來不是獨行的，
還有兩個女伴在身旁。
她們何以這般快？
哦，原來在五十步開外
有兩個男子緊跟：
險哪！這巷中別無人在！
咦，她們未免多心：

你瞧那兩個緊跟的人
　已經走上前面去——
不好了！他們忽然停身！
　他們擱住了去道，
兇橫的臉上呈出狡笑；
　他們想女子可欺，
走上前去居然要摟抱。
　女郎銳聲的呼號，
但是沈默緊圍在周遭，
　一點迴響也沒有——

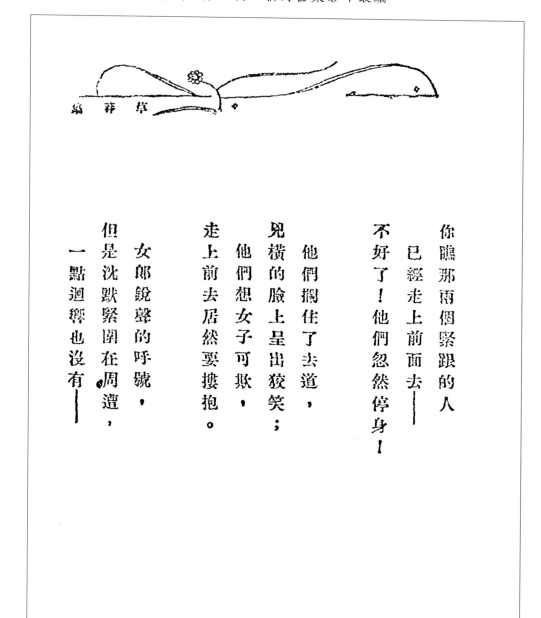

只聽得遠方偶起喧囂。
她們定歸要墮網：
你看奸人又來了同黨。
　兩個她們已不支，
添上三個時何堪設想？
　三人內一個領頭，
燭光下顯得年少風流；
　他那是什麼狂暴，
他是個女郎心的小偷！

從僕聽他的指揮，
不去那兩人的後面追，
只是恭敬的站着，
等候把三個女郎送回。

「姐姐們請別害怕——」
他還沒有說完這句話，
就張了口停住：呀！
他遇到了今世的寃家！
正站在他的面前——
這是凡人呀還是神仙？——

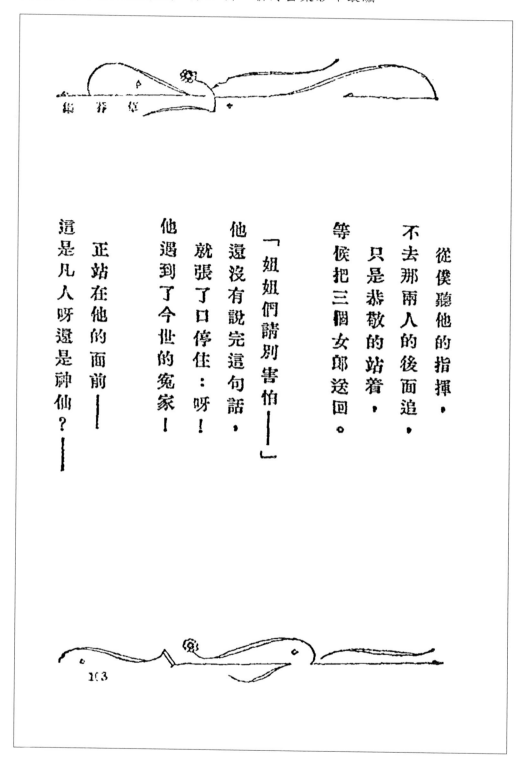

是一個妙齡女子；
她的臉像圓月掛中天。
額角上垂着汗珠，
牠的晶瑩眞珠也不如；
面龐中泛着紅暈，
好像鮫綃籠罩住珊瑚。
一雙眼有夜的深，
轉動時又有星的光明；
牠們表現出欣喜，
表現出一團感謝的心。

「請問住在那條街？
如何走進了這條巷來？
儌倖我剛才走過——
不送上府我決不離開。」
「這個是我的姨妹——」
她手指的女郎正拭淚；
「奇怪，不見了春香！」
春香原來躲在牆陰內。

好容易喚出巢窠，

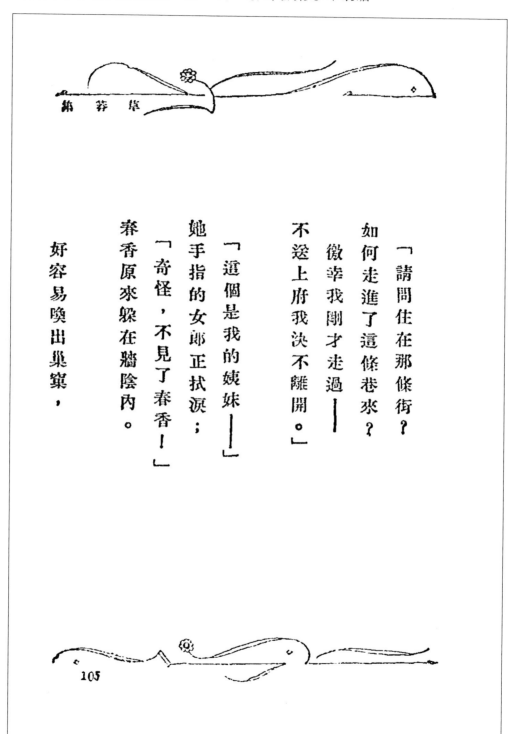

出來時候仍自打哆嗦；
哭的女郎笑起來，
她的主人也面露微渦。

等到過去了驚慌，
又多嘴：「我家老爺姓王。
這是曹家姨小姐。
這是一家都愛的姑娘。

兩位姑娘要看燈，
大家都搶着想跟出門；
早知道現在如此，

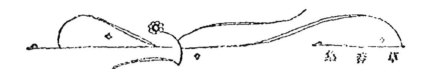

當時我也不會去相爭。
　貴姓還不曾請教？」
「我家周侯府誰不知道？
　今夜不是有放花？
那就是少爺使的錢鈔。」

　杏花落上了身軀，
夜半的寒風正過牆隅。
「王家姐姐怕涼了。
我們儘站着豈非大愚？」

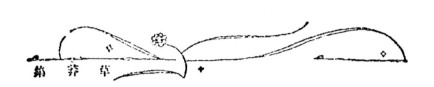

他跟在女郎身旁，
時時聽到綷縩的衣裳；
女郎鬢邊的茉莉
時時隨了風送過清香。

他故意腳步俄延，
惟願這人家遠在天邊，
一百年也走不到——
不幸她的家已在眼前。

一聲多謝進了門
他們正要分開的時辰，

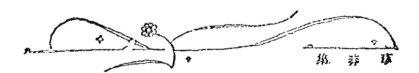

她轉身又謝一眼——
哎！這一眼可攝了人魂！
　一團熱射進心胸，
臉上升起了兩朶緋紅——
　等到他定睛細看，
女郎已經是無影無蹤。
　他慢騰騰的走開，
走不到三步，頭又回來；
　僕人彼此點頭笑，
只在他兩邊跟着徘徊。

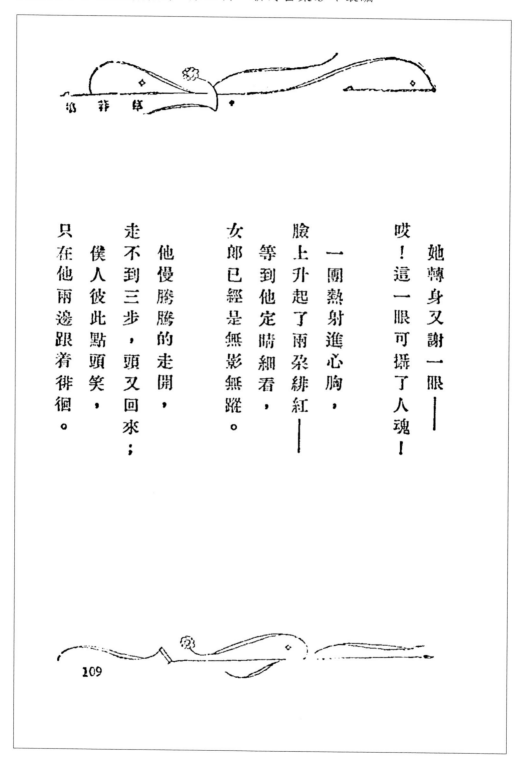

「女郎呀，你是花枝，
我是一條飄蕩的游絲，
　只要能黏附一刻，
就是吹斷了我也不辭。
　要說是你眞有心，
爲何你對我並不慇懃？
　要說是你眞無意，
爲何眼睛裏藏着深情？
　可恨呀無路能通，

知道那一天可以重逢？
　牽牛星呀，我妬你，
我妬你偷窺她的房櫳！」

「少爺，四邊沒有人，
你的這些話說給誰聽？
　天都亮了，回去罷，
你聽東方業已有雞鳴。」

二

時光眞快，巳到梅雨期中：
陰沈的毛雨飄拂着梧桐，

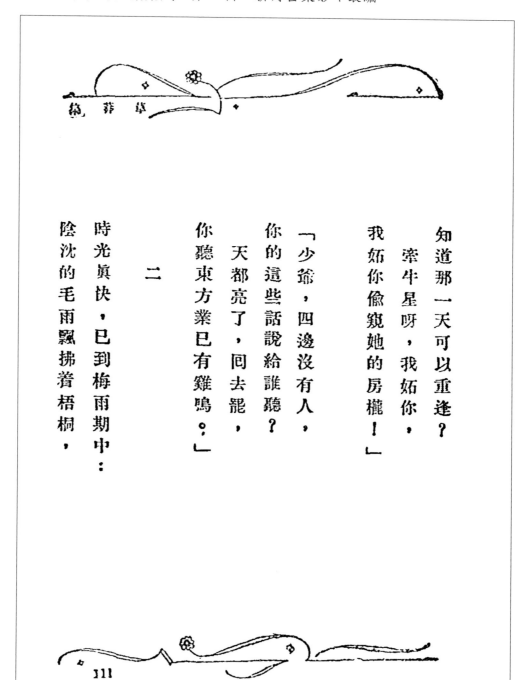

一夜裏青苔爬上了階砌，
臥房前整日的垂下簾櫳。

稀疏的簷滴彷彿是秋聲，
憂愁隨着春寒來襲老人；
何況妻子在十年前亡去，
今日裏正逢着她的忌辰。

十年前正是這樣的一天，
在傍晚，蚯蚓嘶鳴庭院間，
偶爾有涼風來撼動窗槅，
他們永別於暗淡的燈前。

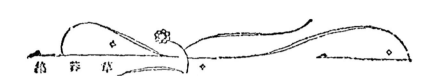

他還歷歷記得那時的妻：
一陣紅潮上來，忽睜眼皮，
接着喉嚨裏發響聲，沈寂——
顫搖的影子在牆上面移。

三十年的夫妻終得分開，
在冷雨淒風裏就此葬埋；
愛隨她埋起了，苦却沒有，
苦隨了春寒依舊每年來。

還好她留下了一個女娃，

晶瑩如月，嬌豔又像春花；
並且相貌同母親是一樣，
看見女兒時就如對着她。

雖然貌美，並不鄙棄家常，
光明隨了她到任何地方：
好像流螢從野塘上飛過，
白蘋綠藻都跟着有輝光。

他因爲是武官，並且年高，
一切的文書都教她捉刀：
這又像流螢祗能趁燐火，

高也能同星並掛在青霄。
她好比柱子支撐起傾斜，
有了這女兒他才少苦些，
不然他早已隨了妻子去，
正這樣想時，門口一聲：「爹，

信寫成了。爹怎麼又淚懸？
老人的情緒經不起摧殘。
爹難道忘了娘臨終的話？
爹苦時娘在地下也不安！」

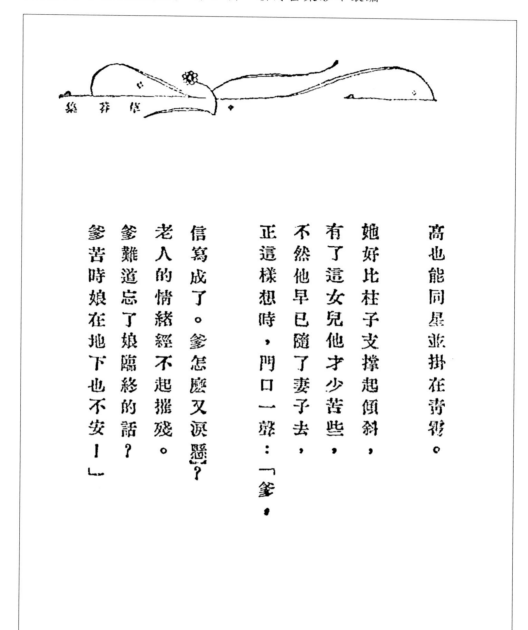

「咳，嬌兒，淚不能止住牠流；
你來了，我倒覓去一半愁。
信寫成了？拏過來給我看。
是軍事，立刻要差人去投。

咳，為這個我忙到六十餘，
但至今還是名與利皆虛；
只瞧着一班輕薄的年少，
駕起了車馬，修起了門閭。

如今是老了，好勝心已無；
從前年少時候勝氣却粗，

那時我常常拍着案高叫：
「我比起他們來那樣不如？」

她那時總勸我別得罪人，
總拏話來寬慰，教我小心——
咳，人已去了世，後悔何及？
當時我竟常拏她把氣平！

等我氣平了向她把罪賠，
她只說：「以往的事不能追；
罷呀，脾氣大了要喫虧的，
我望你今天是最後一回。」

女兒說：「這種時候並不多，
爹何必爲牠將自己折磨？
聽說當時娶娘來很有趣，
爹向我談談到底是如何？」

光明忽閃出深陷的眼眶，
老人的目前湧現一女郎，
他那時正年少，箭在弦上，
從空中射落了白鴿一雙；

養鴿的人家對他表驚奇，

草莽集

沒有要賠，並且毫不遲疑
把喂這一雙鴿子的幼女，
嫁給了射鴿子的人作妻。

他想起了閨房裏的溫柔，
想起了卅年的同樂同憂，
想起了妻子添女的那夜，
他多麼喜，又多麼爲妻愁。

這些他都說給了女兒聽；
他還說當初給女兒定名，
爭了大半天才把牠定妥，

因爲他的意思要叫昭君。

他又說：「娘生你的那一天，
夢見一隻鸞在天半翩翾，
西落的太陽照在毛羽上，
青中現紅色，與雲彩爭鮮；

頸上有一個同心結下垂，
是紅絲打的；她一面高飛，
一面在空中囀她的巧舌，
那聲音就像仙女把簫吹。

忽然漫天的刮起一陣風，
把鳥吹落在你娘的當胸，
她大喫一驚，從夢裏醒轉；
便是如此，你進了人世中。

你小時無人見了不喜歡，
抓周時你拏起書同尺玩，
我最愛你那時手背的凹，
同嘴唇中間嬌媚的弓彎。

到五歲上娘就教你讀書，
眞聰明，背得一點不糢糊，

我還記得在燈檠的光下，
你們母女同把詩句咿唔。
你娘同我們撒手的那時，
你才九歲，還是一片嬌癡。
唉，那刻妻子去了孩兒小，
我心中的難受那有人知！
從此只留下父女兩個人，
同受驚慌，彼此安慰心魂。
幸喜三載前你年交十六，
已能幫曹姨把家務分承。

知名的閨秀古代也寥寥，
武的只有木蘭，文的班昭；
但是誰像你這般通文墨，
家中的事務也可以操勞？

擔子這般重總愁你難駝，
我已請了一個書吏，姓何，
從明天起你就可以停下，
免得光陰都在這裏消磨。

你如今已到待字的年華，

男大須婚，女大須定人家。
門戶不談，人品總要端正，
但一班的少年只見浮誇。

武職是大家輕視的官差，
幾時看見媒人上我門來？
不管你才情，也不管容貌，
錢，你有了錢別人就眼開。

你身上我決不放鬆一些，
我不情願你將來埋怨爹，
我要尋配得上你的佳婿，

文才不讓你，人也要不邪，
我無時不將此事記在心，
我常常記着你娘的叮嚀，
她說：『我們只生了一個女，
這個女兒別配錯了婚姻。』
你是明白的，總該會思量，
這樁事我正想與你相商：
不知道我家的親戚裏面，
可有中你心意的少年郎？』

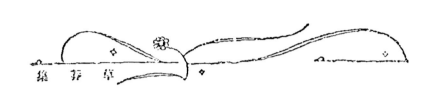

她聽到這些話十分害羞，
只是低下頸子來略搖頭，
答道：「爹，不要再談這些話，
除了侍候爹我更無所求。」

「也眞的：叫你嫁這種人家，
就好比叫鳳凰去配烏鴉。
我何嘗不情願你在身側——
總得找人來培養這枝花。」

「女兒也看過些野史詩篇，
無處不逢到薄命的紅顏；

何況爹老了，又孤單的很，
我只要常跟在爹的身邊。」

一顆顆的淚點滴下白鬚，
他便咽着說：「嬌兒，你太迂。
你年紀大了，我怎能留住？
只望你們別將我棄屋隅。」

房裏寂然，只聞父女同悲；
疏疏的春雨輕灑着門扉，
不知是湖邊，還是雲霧裏，
杜鵑悽惻的叫過，不如歸！

三

南風來了，梅雨驅散，
　天的顏色顯得澄鮮，
綠陰密得如同帷幔，
　蟬聲鬧在綠陰裏邊，
太陽把金光亂灑下人間。

麥田裏邊翻着金浪，
　四周繞着青的遠峯，
鳥在林內齊聲歌唱，
　豆花的香隨了暖風，

吹遍了一片田野的當中。
　鄉下的原野越熱鬧，
城中的庭院越清幽：
一樹濃蔭將牠籠罩，
竹簾上綠影往來游，
只偶爾有蜂向窗櫺上投。
　從房頂的明瓦裏面
　偷下來了一條日光，
　這條日光移得眞慢，
光中羣動無聲的忙；

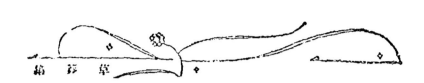

草莽集

幽暗裏鑽出來一縷爐香。
書案邊靜坐着女郎；
一陣困倦侵入胸內，
幻影在她前面飛揚，
水在壺中單調的沸，
暖風輕輕拂來，催她入睡。
忽聽得男子的脚步，
她忙把已落的頭抬；
她想起父親的囑咐，
忙把已閉的眼睜開，

替她的書吏是在今天來。
她瞧見書吏的模樣，
不覺心中暗喫一驚，
這正是燈節的晚上
把她救了的少年人：
她遲疑的問道：「尊姓大名？」
「我的名字是何文邁。」
「這口音與那晚正同！」
她見僕人走出房外，
不覺腮中暈起微紅，

但在外面還假裝出從容。
媼等書吏坐了，問道：
「周家公子是個貴人。
爲何把富與貴扔掉，
不肯在侯府作郎君，
卑躬折節的來光降蓬門？」
「既知道了何必遮掩？
這都是爲你呀，女郎
我自從那夜裏相見，
回了家後飲食俱忘。

我連作夢都想着來身旁。
　形骸看着消瘦下去，
　精神一天弱似一天。
不見時活着覺無趣；
　如今見了才像從前。
女郎呀，你總該可以垂憐？」

「公子這樣家中跑出，
　難道是忘記了爹媽？
說不定他們正在哭，
　急得把天呼，把髮抓，

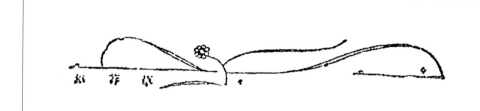

怕公子去世了，永不回家。
又難道忘記了身份？
書吏的事情作得來？
竟爲女子荒廢學問，
把無量的前程扔開？
回去罷，請別在這裏延捱。
我不是公子的朋友——
可恨我生來是女身。
可怕呀，悠悠的衆口。
何况我要侍奉父親。

回去罷，請別在這裏留停。」
「教我離開未嘗不可，
我不願使你擔恐慌：
但我不見得能多活，
到那時萬一我死亡。
卽非有心呀你豈不悲傷？
死去了也未嘗不好，
只要你珠淚爲我流；
然而活着豈不更妙？
女郎呀，別轉過雙眸。

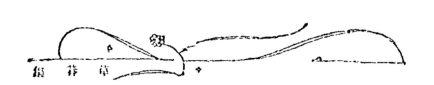

除了相見外我另無所求。」
　他見女郎一聲不應，
　知道她已經不留難，
　這不作聲便是默認，
　他眞說不出的喜歡。
他問道：「我來府上的時間
　以爲先與令尊相見——」
　「從前我替爹管文書；
　僥幸今天卸了重擔，
　從此我不須費功夫，

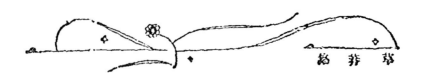

再來這面書房裏把鴉塗。」
「原來姐的文墨也妙，
那我眞要拜作先生：
我自然不敢當逸少，
但姐眞不愧衛夫人。
請容我永遠拜倒在師門。」
淺的笑渦呈在雙頰，
她說不出來的嬌羞。
他們都覺得沒有話，
都向窗外轉過了頭，

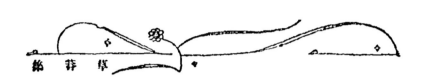

草莽集

他們望蛛絲在日光裏游。
他們瞧見一雙蝴蝶，
忽高忽下，追着游嬉。
飛得高，便上了蕉葉；
飛得低，便與地相齊。
只可惜不聞牠們的笑啼。

她轉身望周生一眼，
不料周生正在瞧她；
緋紅暈上了她的臉，
心中懊悔事情作差，

138

悤悤的出了房，推說繡花。

他望着女郎的後影，

女郎的羅襪與金釵。

他的心中又喜又悶：

悶的是何時她再來，

喜的是情已進了她胸懷。

四

巧夕已經到了夜半，

王嬌還在倚着樓窗。

她擡頭，見雙星燦爛；

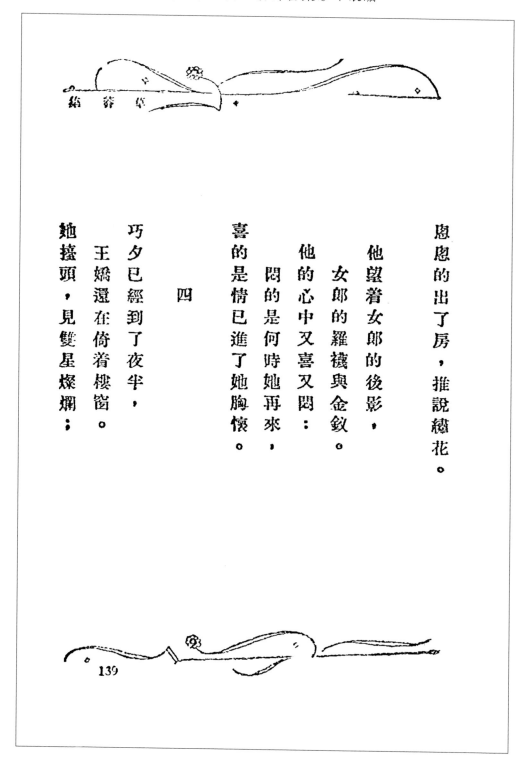

低頭，見葉裏的燈光。

楊柳枝低下頭微喟，
幽靜裏飄過一絲風；
偶聽到魚兒躍池內。
沈寂將她催進夢中。

她夢見天孫是自己，
面對着洶湧的銀河，
河的兩頭連到雲裏，
時有流星落進洪波。

一座橋橫跨在河上，
　白石地，檀木的闌干。
喜鵲在橋樓上歡唱，
　一盞紅燈懸掛樓前。

心在胸口蓬蓬的跳，
　她要知道牛郎是誰。
她依稀聽得有牛叫，
　她打開南向的窗扉。

遠方不是一團黑影？
　近了，近了，還是模糊。

等到形貌依稀可認，
　她不禁失了聲驚呼，
「這不是——」「是我呀，小姐。
　我便是小姐的春香。」
她睜眼見鴉鬟，並且——
　周生也當眞在前方！
「春香，這是醒呀是夢？」
　春香不答，只是嘻嘻。
她再看周生，也不動，
　只是不安的把頭低。

閃電般她恍然大悟，
心在胸中又跳起來；
驚慌，懊惱，羞慚，憤怒，
同時呈上她的雙腮。

她把鴉頭嚴加申斥，
說她不該引進生人；
她又責周生不老實，
責他是輕薄的書生。

她說：「我當初是憐惜，

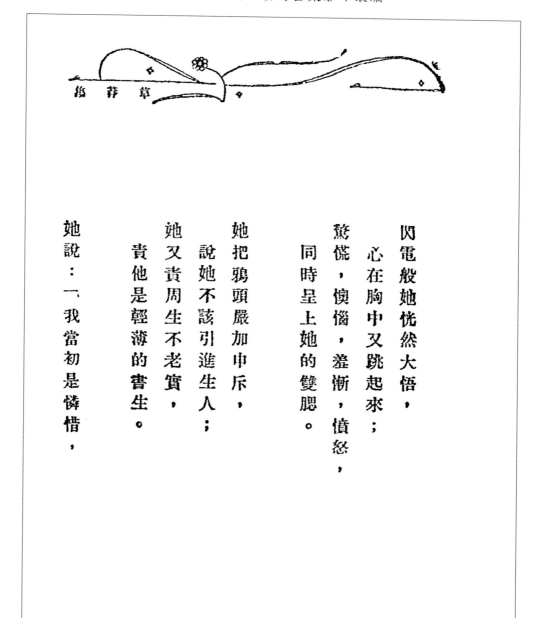

　不料如今你竟忘懷。
我的爲難你不思及，
　你竟忍心進我房來。」
鴉鬟捱了罵，撅起嘴，
「這都是你闖禍，少爺。
如今好了：唉，我的腿
　到明天一定要打瘸。」
周公子也埋怨鴉頭：
「誰教你說姑娘有意？
不然，我怎會來綉樓？

你眞能忍心將人戲。」

「我的言語那句不眞？
誰向你這種人撒謊？
去罷，去罷。如今怨人，
是假的當初怎不講？

瞧，瞧，你又不肯下樓。
瞧那尊容上的怪相。」
「不，不，我要問清原由，
免得姑娘說我輕蕩。

草莽集

不用忙。你先將氣平，
話是眞的不妨再說。
我問你：姑娘可有心？
我可是冒昧來闖閣？」

一則埋怨小姐裝喬，
二則恐慌已經過去，
這鴉鬟又開始嘮叨，
她把從前的事詳敍：

「小姐，你已經忘記掉：
那早晨我替你梳妝，

你一邊拏着銅鏡照，
　一邊瞧鏡裏的面龐。

你問我，眼睛沒有轉，
　『春香，你瞧我該配誰？』
我說『師爺，可惜矮點。』
　你紅着臉一語不回。

一晚我從牀上滾下，
　正摸着碰疼了的頭，
忽然聽到你說夢話，
　別的不聞，只聽說『周……』』

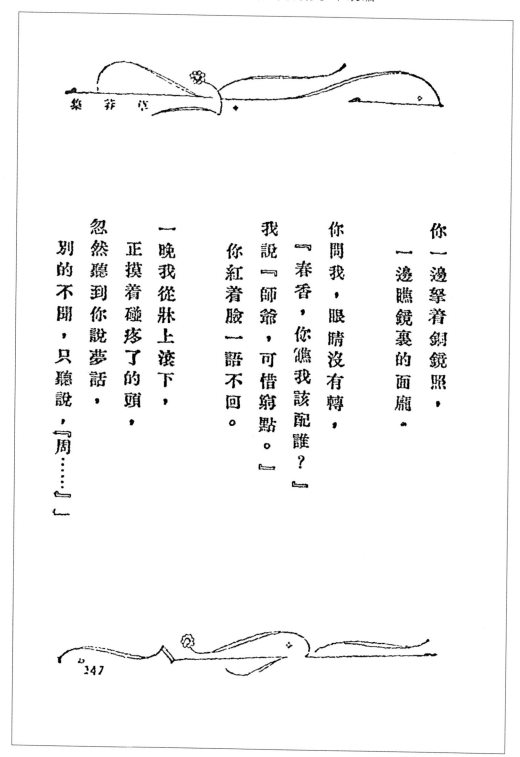

如今是輪到她羞縮，
　輪到她紅臉，把頭低；
但是鴉鬟不顧，續說：
「我從那時起就心疑。
直到今天聽見他講，
　才知小侯爺作書班，
才知何文遴是撒謊；
　到了今天我才恍然，
到了今天我才知悉，

爲什麼有時你睡遲，
一個人對着燈歎息，
手裏拿着筆寫新詩。」
女郎聽着，又羞又惱，
呵鴉頭，「還不去後房！」
但是同時又改口道，
「等在這裏，我的春香。」
「我還是先去後房睡；
省得明早又像從前，
你起牀了，朝着我啐，

「瞌睡蟲，別儘着貪眠！」
　房中只剩他們兩個。
　　她垂下頭，身倚窗欞；
　她的胸膛幾乎漲破，
　　驚慌充滿了她的心。

　他定了神四下觀望，
　　瞧見蠟燭只剩殘輝，
　瞧見睡鞋放在椅上，
　　瞧見垂下了的牀帷。

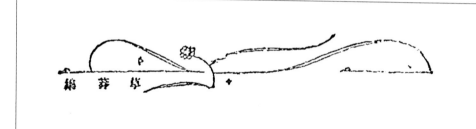

偶有燈蛾想進窗內，
　靜中只聞心跳蓬蓬。
鴨獸與脂粉的香味
　時時隨風鑽進鼻中。

他推窗，見雙星在空；
　閉窗，對嬌羞的美人。
她依然站着，沒有動，
　但是覺到他的微溫。

五

王嬌的妝樓還在開着窗，

草莽集

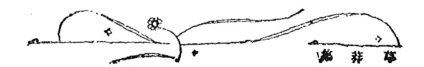

　　中秋夜裏將闌的月色，
　　照見一雙人倚在樓側，
樓板上映着窗影的斜方。

空中疾行過渾圓的月球；
　　銀霧裏立着亭臺花木，
　　桂樹的影在根旁靜伏，
桂花香到深夜分外清幽。

女郎怕冷，斜靠着他的肩，
　　溫熱與情在她的胸內，
　　眼睛半開半閉的將睡，

152

如夢的情話響在他耳邊。

「你已經累了，」他說時側身，
把她如綿的身軀抱起；
轉身時候忽見房門啓，
門縫後探進來一個女人。

他驚得放下了女郎，「是誰？」
她也立刻從夢中醒轉，
「曹姨來了！時間這麼晚……」
沒有說完，她的頭已低垂。

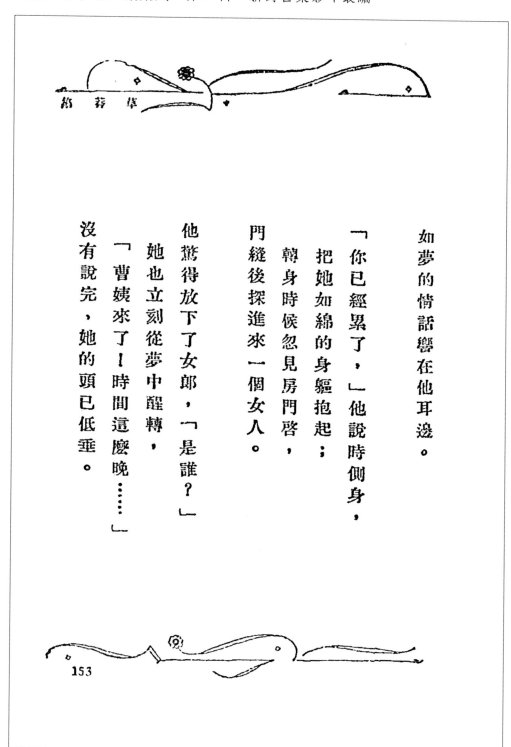

公子也紅着臉，不敢擡頭。
有一樁事令他最難過，
就是，女郎並不曾作錯，
但如今爲他的緣故蒙羞。

反是曹姨先向他們開言：
「當時我瞧着心裏奇怪，
果然不出我的臆料外。
但請放心，我所以來這邊，

不過是有點替嬌兒擔驚，
因爲這樣終歸不是了。

萬一事情被父親知曉，
年老的人豈不加倍傷心？
你們兩個眞是女貌郎才，
難怪嬌兒向來不心動，
遇到周公子也入了魔，
公子也扔了家來作書差。
不用瞧：你們的這段姻緣
我是從春香處打聽到。」
說到這裏，她就開玩笑：
「我的癡兒，你怎能將我瞞？

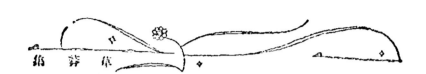

春天我常看見你倚樓窗，
手弄綠珠串般的楊柳；
舉目默望着白雲流走，
一刻又支腮，俯首看鴛鴦。

夏天我見你比前更豐腴，
你的面龐荷花樣飽滿，
你的顏色荷花樣嬌艷，
但對着南風常聽你輕吁。

秋天高了，你也跟着長高，

你的雙乳隆起在胸上，
　你像入秋更明的月亮，
但已無春天霧裏的嬌嬈。

你怎能瞞過我，癡的女娃？
　我今晚來想把你們勸。
　我並不是要你們分散，
但是我勸周公子快回家。

回家後却不要將她丟開——
　瞧你這人倒不像心狠。
　你須把詳情向父母稟，

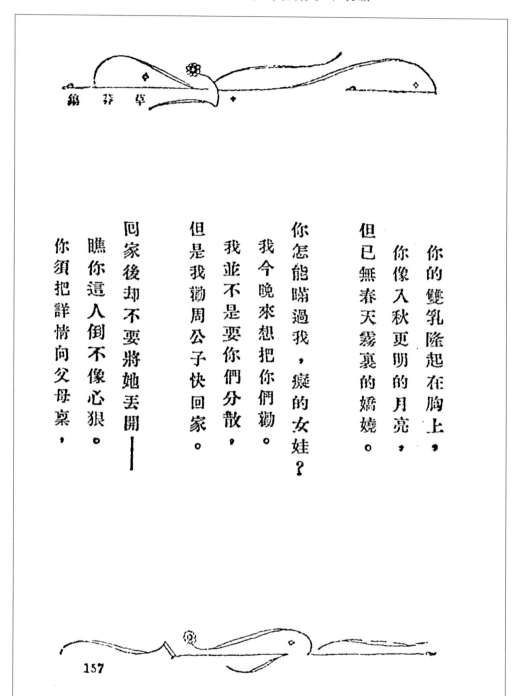

立卽請媒人上我家門來。
你失踪了，一定急壞爺娘。
自家的孩兒旣然顧惜，
「嬌兒又是受你的威逼，」
想必不會害人家的女郎。
嬌兒、你淑妹正少些嫁衣，
你的針黹好，我要奉託
你替她縫些；等你出閣，
她自然也能幫着你作齊。

我去了。你們望一夜月圓，
　到明天却不要愁牠缺：
只要你們的相思不滅，
教圓月重輝並不算爲難。」

如今還是他們倆在房中。
　稀疎的柳影移上樓板，
　柝聲在秋夜分外悽慘，
從園裏偶爾吹進來冷風。

她眼眶中含着淚珠晶瑩，
　她靠在周生肩上微抖；

「兩人的恩愛從此撒手？
難道我七夕作的夢當眞？
唉，牛郎同織女雖然隔河，
還能每年中相逢一面；
我們怕從此不能再見，
孤零的，我要從此作嫦娥。
我如今只覺得一片心慌。
唉，我的一生從此斷送！
爹爹知道了豈不心痛？
到了那時候我作何主張？」

「嬌，你以爲我會那般薄情？
我可以當着太陰賭咒，
將來決不把你拋腦後。
你們作證呀，過往的神明！」

「你千萬不要以爲我生疑，
我知道你對我是相戀。
但你的雙親作何主見？
萬一他們要你另娶佳妻？」

「娘疼我，父親却一毫不鬆，

但我要發誓非你不娶；
萬一他逼我更改主意，
我就要私逃來你的家中。
我要向岳父將一切說明，
將過錯攬來我的身上。
那時我們便能長偎傍，
不愁別，也不須弔膽提心。
你瞧月亮已經落下西山，
銅盤裏盛滿紅的蠟淚，
知道要何時才能再會？

嬌呀，別儘着在窗側盤桓。」

六

晚秋的斜陽照在東壁上；
牆陰裏嘶着秋蟲的聲浪；
枯枝間偶爾飄進一絲風，
把剩餘的黃葉吹落院中。
王嬌的胸中充滿了悲哀，
她是從姨妹的婚禮回來。
她記得昨夜鑼鼓的鏗鏘，
花香與粉氣瀰漫了全堂，

宮燈的閃爍——但化成輕烟，
飄入了愁雲凝結的今天。
記得辭別新人的歸途裏，
父親把她出嫁的事提起，
她忍不住在車裏哭出聲。
父親不知道她已有情人，
也不知道她已經懷了胎，
儘等周公子總是不見來，
昨天派孫虎去侯府找他，
不知道今天可能夠回家。
萬一他被逼或是變了心，
她拿什麼見爹爹與六親？

但她的父親不知道這些，
只是將坐騎靠近她的車，
「小嬌呀，你的心我也深知
我決不讓你就誤了芳時。」
他還另外拿了些話安慰，
那曉得更勾起她的愧悔。
到家後又提起她的亡母，
重數父女同嘗過的辛苦；
不知她多一重苦在心頭，
想開口又不能，只是淚流。
她不情願父親過於傷心，
出了書房，如今走過後庭。

但是院中的房已經空虛，
因曹姨搬去了婿家同居。
她一邊走，一邊想起當初，
曹姨中年守寡，家無寸儲；
她還記得曹姨來的那天，
她正在招染指甲的鳳仙，
看見曹姨帶着一個女娃，
有三歲，她忙跑去告訴媽。
從此她有姨妹陪着游玩。
還記得有一次同放紙鳶，
都斷了綫；她的飛進天空，
姨妹的落上了一棵青松。

甜美的童年便如此飛度，
直到四年後她的娘亡故。
是她親眼瞧着姨妹長大，
是她親眼瞧着姨妹出嫁；
但是她自己呢？懷孕在身，
孩子的爹還不知是何人！
她記起昨夜晚遇見曹姨，
低聲問周家已否來聘妻。
她要不是瞧着賓客滿堂，
眞想抱起曹姨來哭一場。
她瞧周生並不像負心漢，
但爲何一月來音信俱斷？

最傷她心的是對不起爹：
他一晌知道女孩兒不邪，
才肯讓她與男子們周旋，
在她也是向來處之淡然；
說也奇怪，惟獨遇到周生，
她心裏才頭次種下情根。
燈節的相救，初夏的重逢，
夏日的齋內，巧夕的樓中，
來得又決又奇，與夢無異，
令她眼花撩亂，毫無主意。
這都不能怪她，這都是天。
她這樣想時，已到了樓前。

她瞧見孫虎頭紮着白巾，
在樓下，她不覺大喫一驚。
她曉得事情是吉少凶多，
不覺渾身之上打起哆嗦；
但在外面還不露出悲哀，
只教孫虎悄悄跟上樓來，
把一切詳情說與她如道。
他的頭打破了，是和誰鬧？
周公子父親的意思怎般？
他從懷內拿出一隻玉環，
交給她，說道：「小姐還要聽？
不怕聽到了我的話傷心？

那麼我就講。昨天的上午
我拜別了姑娘去到侯府，
沒向門房說是小姐所差，
只說是王家少爺派我來，
有緊急的事要當面見他。
他瞧見我的時候，驚呼，『呀，
是你！』他把當差遣出書房，
重新向我說：『你家的姑娘
好嗎？我這一晌因爲事多——』
哼，什麼事！不過是討老婆。」
王嬌道，「什麼？」「小姐別傷心，
這負心漢已經另娶了親。

我當時眞氣，說：「你問自己，
她好不？小姐那椿辜負你，
你居然能夠忍心把她拋，
消息毫無，使她日夜心焦？
你自己問良心，這可應該？
今天是她差我上貴府來，
問問你沒有消息的緣由。」
他聽到說，假裝縐起眉頭，
咳聲歎氣，連我都當是眞，
他說：「想不到天意不由人，
我自從離開府上回了家，
一心指望卽日娶過嬌娃；

那知道我的父親不允許。
他說，一個小武官的閨女
怎麽同我的兒子配得來？
這給人聽到嘴不要笑歪？
並且這女孩子本來輕佻，
不是她拋頭露面的招搖，
我的兒子怎會陷入網中？
那父親也未免家教太鬆，
不算小戶了，却無個內外；
如今好了，女兒爲他所害。
我決不情願被叫作糊塗，
何況我家祖上受過丹書，

我決不讓兒子這樣成婚，
被人家傳出去當作新聞。
娘，她見我回了家，眞喜歡，
並且女子的心腸軟似男，
她總勸父親順我的意思。
他與娘不知鬧過多少次。
我知道他的心無法可回，
就趁了一晚風呼呼在吹，
偸着翻過花園想逃出去。
那知正翻時與更夫相遇。
更夫怕我逃了，父親治他，
連忙把我的兩條腿緊抓，

任我百般哀求，都不放鬆。
他把我送回去了書房中，
在書房外守了一個通宵，
怕我得到旁的空又偷逃。
第二天早上他稟知父親，
父親聽到時候，大發雷霆，
親自拿棍子打了我一頓，
教兩個當差的將我監禁，
並且教他們日夜裏巡邏。
他一面又派人去找媒婆，
打聽那個官府裏有姑娘。
唉，我被兩個人監在書房，

就是想偸跑也無路可通，
況且父親拷打得那般兒，
你想除順從外有何方法？」
「只怪我家小姐當時眼瞎，
認識了你這個負心的人，
使得她如今進退都不能。」
「把氣平下，讓我們慢慢談，
瞧可有方法打通這難關。」
「想方法？那還不十分容易？
你當時既有偸逃的膽氣，
現在何不也一逃以了之？」
「唉，你曉得如今不比當時，

如今我已娶了妻子在家，
我跑了時如何對得起她？」
我一聽不由得氣滿胸膛，
大聲叫道，「那麼我家姑娘
你對得起嗎？」他說：「你息怒。
我也並非願意將她辜負，
只不過父親的嚴命難違。
已往的事如今也不能追，
讓我們想可能亡羊補牢。」
說着話，他找出黃金十條，
「這送你家的小姐作妝奩；」
他同時又把手探進胸前，

拿出我交給小姐的玉環，
「這是她送我的，如今奉還。
你向她說我是無福的人，
只望她嫁一個好的郎君。」
「什麼！你把我家小姐丟開？
那麼當時誰教你騙她來？
這玉環是她的，我要帶回，
免得寶物扔上了糞土堆。
誰希罕你的金子？眞笑話！」
我氣得把牠們扔在地下，
「我孫虎都不希罕這黃金，
何況我家小姐金玉爲心？

別的不提，騙了我家姑娘，
一切糾葛就要由你承當。
現在她腹中已經有了喜，
她在家一天到晚的候你，
候你去認爲這孩子的爹。
你難道良心都沒有一些，
能够坐着看她被別人羞，
看她下水，你不肯略回頭？」
「娶她過來作妾，你瞧怎樣？」
聽到此，我的氣直朝上撞，
「什麼！你敢汚辱我家千金？
我今天要拾了命同你拚。

你這畜生！我家老爺的官
雖然不大，也是朝廷所頒，
我家小姐怎與人作偏房？
我孫虎也喫過皇家的糧，
這口氣教我如何忍得下？」
我一邊這樣的把他大罵，
一邊要捶他。那怯漢高呼，
「張千，張千，快抓住這強徒！」
呼聲驚動了房外的當差，
他連忙入內把我們攏開。
我衝了幾次都沒有衝過，
反被那廝把我的頭打破。

唉，年紀老了，什麼都不中。
要像當年那般破陣衝鋒，
不說一個，十個我也打翻；
我早摳出那小子的心肝，
一把抓過來獻上給小姐，
教人知道王家並不好惹！
唉，年紀大了，什麼都不行。」
說到此，他的淚落滿衣襟，
「唉，老爺立下過多少功勞，
都是因爲他的生性孤高，
不肯彎下腰去阿附上司，
才這樣窮；但他毫無怨辭。

想不到虎落平陽被犬欺，
姑娘又遇到這個壞東西。
並且他是我頭次引來家，
我恨不得一把將他緊抓，
撕成兩爿，心裏面才痛快。」
老僕入這時汗迸出臉外，
一根根的筋在額角緊張，
光明發射出已陷的眼眶，
喉嚨裏呼出的儘作響聲，
憤怒如今充滿他的靈魂。
王嬌一語不發，只是淚流，
她擡起了已經垂下的頭，

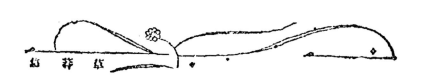

顫聲的說：「你不須將氣勁，
與這班人動氣也不中用。
你的頭新破，經不起悲傷，
歇歇去罷。這回累你多忙。
等到你的頭休養好了時，
我們再商量辦法也不遲。」
女郎呀，你何嘗要想法來？
你不過是將老僕人支開，
怕他年紀大，經不起傷心。
你已將自家的命運看清。
你如今知道了那個兆頭
何以有紅絲纏繞在咽喉，

你如今知道了那同心結
你因之而生，也因之而滅。
看哪：牆頭已不見太陽光，
只有些愁雲凝結在穹蒼；
主宰這人間的換了黑暗。
我聽到了你的一聲長歎，
牀頭的縲繹，扣頸的聲音，
喉中發過響後，便是淒清。
去了，去了，癡情逃上九天，
如今只有虛僞蟠踞人間！

七

夢谷節

白燭搖顫着青色的光明，
女郎的靈柩在白樺裏停。
黑暗與沈默籠罩住世界，
天空裏面瞧不見一顆星。

春日的百花卷起了芬馨；
夏天去了，鳥兒不再和鳴；
辭了枝的秋葉入土安息；
河水在嚴冬內結成堅冰。

聽哪，是何人手撫着亡靈，
在白樺後傾吐他的哀音？

哭聲在夜裏聽來分外慘。
可憐哪，你這喪女的父親！

更可憐哪，連哭都不成聲，
因爲他是六十開外的人，
只有一聲聲的抽噎發出，
表示他已經碎了的靈魂。

「嬌兒呀，你竟忍心與我分？
現在更有誰慰我的朝昏？
這世間的事情說來奇怪：
要上了年紀的人哭後生！

嬌兒呀，你何不說出眞情，
只是悶着，一人受恐擔驚？
都是我作父親的害了你：
誰教我就誤了你的青春？

嬌兒呀，我怕誤了你終身，
才將你的事躭擱到如今；
嬌兒呀，你不要埋怨我罷，
你要知道我已經夠傷心！

妻子去了，女兒也已歸陰，
我在人世上從此是孤零，

這樣生活着有什麼滋味？
等着罷，等我與你們同行！」
回答他哭聲的只有淒清。
靈幃上搖顫過一綫波紋；
接着許多落葉灑上窗紙，
樹枝間醒起了風的悲吟。

十五，一，十九——二，二十二。

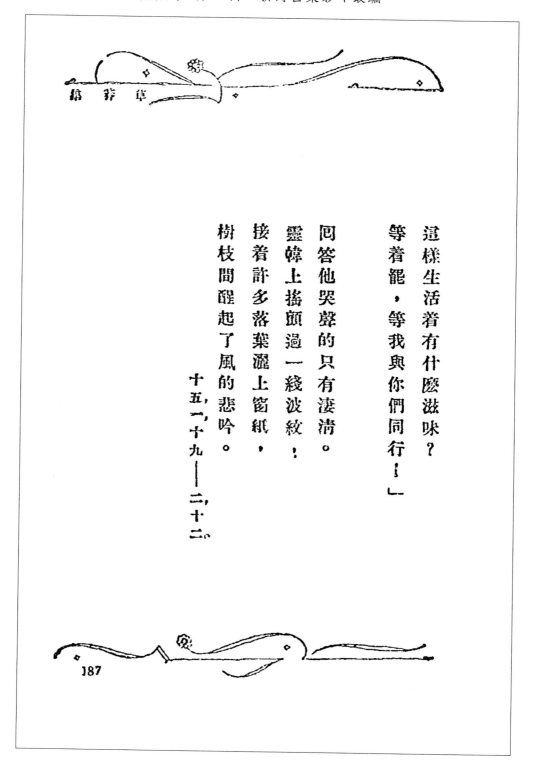

尾聲

夢

這人生內豈惟夢是虛空？
人生比起夢來有何不同？
你瞧富貴繁華入了荒塚；
夢罷，
作到了好夢呀味也深濃！
酸辛充滿了這人世之中，
美人的臉不常春花樣紅，
就是春花也怕飛霜結凍；

夢罷，
夢境裏的花呀沒有嚴冬！
水樣清的月光瀉下蒼松，
山寺內舒徐的敲着夜鐘，
夢一般的泉聲在遠方勁：
夢罷，
月光裏的夢呀趣味無窮！
酒樣釅的花香薰得人慵，
蜜蜂在花枝上儘着嚶嗡，

一陣陣的暖風向窗內送：
　夢罷，
日光裏的夢呀其樂融融！

塋壙之內一點聲息不通，
青色的壙燈光照亮朦朧，
黃土的人馬在四邊環排：
　夢罷，
墳墓裏的夢呀無盡無終！

十五，四，十三。

一九二七年八月初版

草莽集

實價大洋九角

外埠酌加寄費匯費

不許翻印

著者 朱湘

發行者 開明書店

發行所 上海望平街一六五號 開明書店